D1376900

Garnir et décorer

Garnir et décorer

Imprimé en Espagne

ISBN 2738215408

Garnir et décorer

Les plaisirs de la table

Une table joliment mise met en appétit,
et ajoute à la saveur des plats servis.
Un repas réussi est aussi un repas bien présenté,
notamment quand vous recevez.
Découvrez la simplicité des moyens et des techniques
pour mettre en valeur les mets,
que vous vous êtes donné du mal à cuisiner.

TABLE DES MATIÈRES

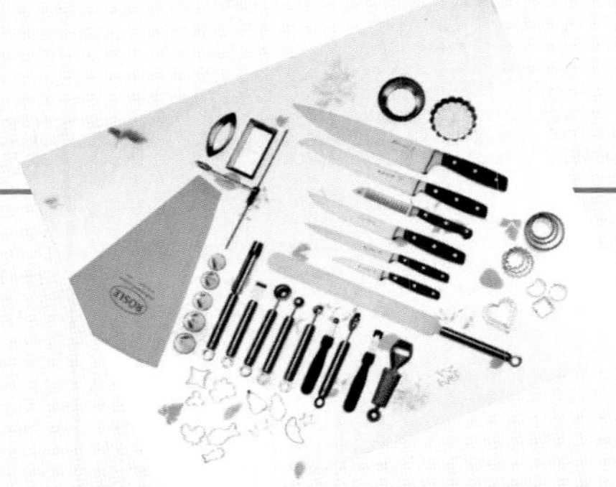

Avant-propos

Le plaisir dans la perfection

Prendre plaisir à manger et à boire est depuis toujours un signe de joie de vivre et de bien-être. Qui aime bien manger, trouve autant de plaisir à un repas simple, qu'à un repas élaboré, avec une assiette joliment décorée et des plats agréablement présentés. La bonne table sollicite tous nos sens, mais d'abord la vue, et ensuite seulement, l'odorat et le goût.

Nous l'oublions parfois, pourtant la couleur et la consistance des aliments sont essentielles dans le plaisir que nous prenons à les savourer. Nous nous fions, sans toujours le savoir, à la première impression, qui reste, et est, pour un repas, le plus souvent l'impression optique.

La folie du quotidien nous fait souvent oublier l'amour du détail et des instants particuliers. Alors, si vous en avez envie, et si vous aimez cuisiner, réservez-vous une ou deux heures pour essayer quelques unes de nos garnitures. Elles ne requièrent pas de talents artistiques particuliers.

Vous verrez qu'il est reposant de porter toute son attention sur une œuvre qui demande de la créativité, et de s'exercer à la patience et à l'habileté. Faites-vous plaisir, et surprenez agréablement votre entourage.

Qu'allez-vous découvrir dans « Le Grand Livre des Garnitures et des Ornements » ?

Le but de ce livre est de montrer comment, et avec quelles garnitures et décorations, dresser et présenter des mets sous leur meilleur jour, afin qu'ils mettent en appétit avant d'avoir touché le palais.

Les pages suivantes vous indiquent comment vos repas seront d'abord un régal pour les yeux.

Nous présentons les principaux ustensiles de cuisine, leur utilité et leur usage.

La première partie traite des garnitures. Elle est divisée en quatre chapitres :

1. Les garnitures de légumes
2. Les garnitures de fruits
3. Beurre, fromage, œufs et pain
4. Le sucré

Vous y voyez, en détail, quels aliments se prêtent aux garnitures avec des instructions illustrées étape par étape pour les préparer. Ainsi, même un débutant accomplira aisément des chefs-d'œuvre qui, à première vue, paraissent très complexes. Vous suivrez, par exemple, la confection d'une souris de radis, d'un éventail d'avocat, d'un palmier d'ananas, d'un petit cochon de citron ou d'une rose de beurre, et trouverez de nombreuses recettes particulièrement bien décorées : hors-d'œuvre, salade de fruits dans des écorces de fruits, avocat ou tomate farcis, canapés et petits-fours.

La deuxième partie traite de l'accueil des hôtes. Vous y trouverez un choix de six buffets centrés sur la présentation, dont les recettes élaborées sont illustrées pas à pas et, en marge, des conseils pour une organisation de vos réceptions sans stress, des conseils de boisson, et des idées de décorations. Les illustrations de buffet vous invitent à être de la partie, et à déguster par l'image, mais surtout, à vous en inspirer pour votre prochaine réception. De nombreux conseils d'organisation, envoi d'invitations, mise du couvert, élaboration d'un buffet froid et pliage des serviettes, complètent l'optique du maître ou de la maîtresse de cérémonie.

Laissez-vous inspirer par les nombreuses idées et recettes que contient ce livre et vous êtes assuré des louanges de vos invités.

Les recettes

Les quelques quatre-vingt recettes contenues dans cet ouvrage sont réparties entre les chapitres sur les garnitures et les chapitres sur l'accueil des hôtes. Chaque recette indique le nombre de personnes pour qui elle est calculée. Nous partons en général d'une dizaine d'invités, puisque ce sont des idées recettes se prêtant avant tout aux réceptions, aux fêtes, aux cocktails, aux garden-parties, aux parties de plaisir et aux cérémonies en général. Les données se multiplient ou se divisent aisément par deux. La quantité d'ingrédients est, pour les fruits et les légumes, toujours calculée à partir du produit cru et non nettoyé. Pour les aliments à la pièce sans indication de poids, il s'agit d'une pièce de taille moyenne.

Abréviations	
c. à c.	cuillère à café
c. à s.	cuillère à soupe
cm	centimètre
env.	environ
g	gramme
l	litre
mg	milligramme (1 g = 1000 mg)
°C	degré Celsius
p.	page

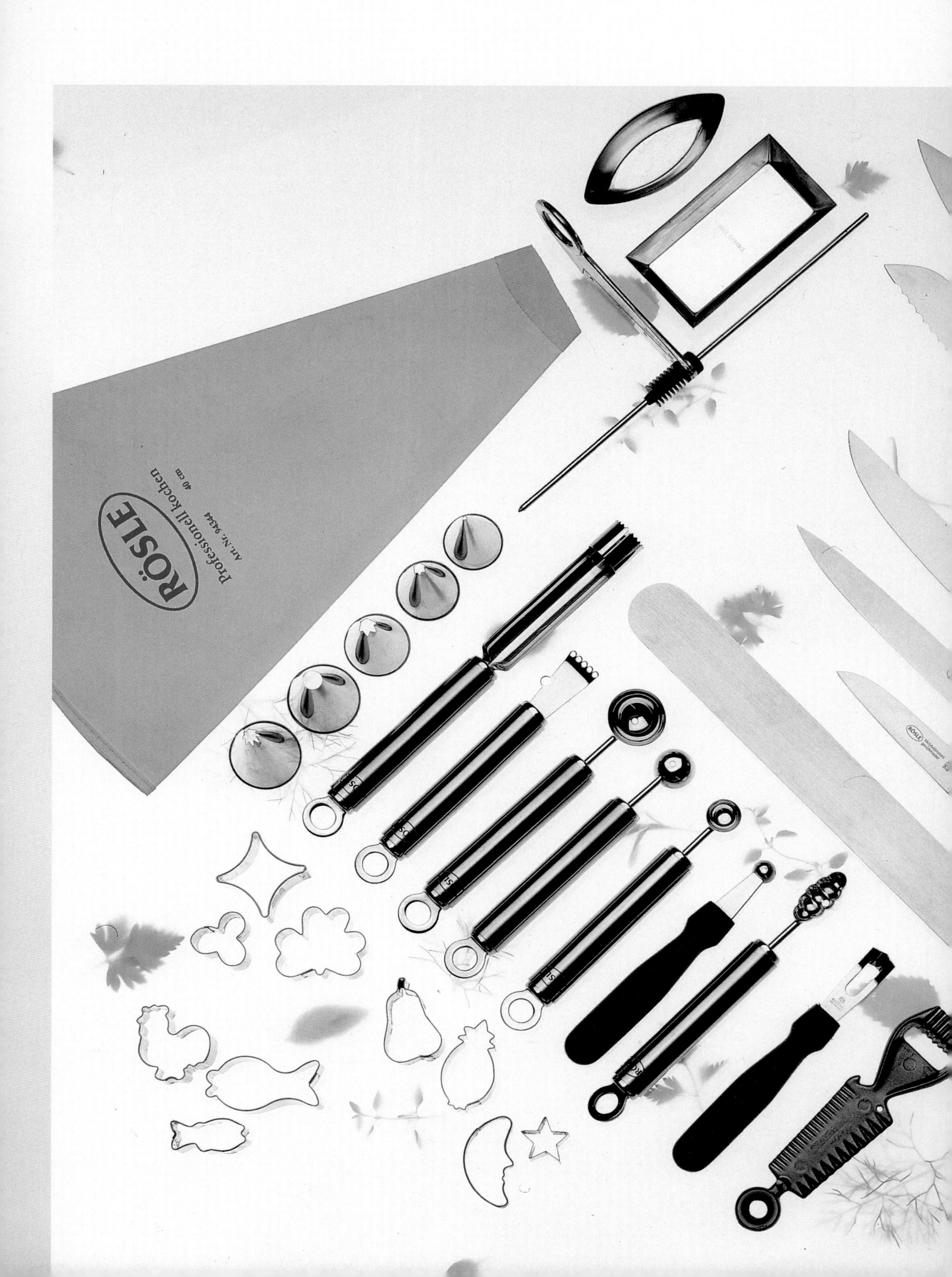
RÖSLE
Professionell kochen
Art.-Nr. 94344
40 cm

LES USTENSILES DE CUISINE

La décoration est un travail de précision, et se fait avec des outils de précision.

Les ustensiles de cuisine

Le succès dans la poche avec les bons ustensiles.

◆

Les bons ustensiles

Les bons ouvriers ont toujours, en cuisine comme ailleurs, les bons outils. Voilà pourquoi nous présentons d'abord l'équipement de base du cuisinier, et en l'occurrence, l'outillage essentiel pour bien réussir les décorations, notamment le couteau de cuisine, et des instruments spéciaux, comme la cuillère parisienne. Ils s'acquièrent avec le temps, à mesure de leur utilisation.

Après cet aperçu des ustensiles de cuisine, vous trouverez à la page suivante (p. 12/13) l'illustration de leur utilisation. Les chiffres entre parenthèses dans les lignes suivantes renvoient au croquis de la page 11.

Le couteau de cuisine

N'économisez pas sur l'achat des couteaux de cuisine, car le plaisir de cuisiner peut vite être gâté, si vous devez appuyer de toutes vos forces sur un couteau à la lame émoussée et instable, au lieu d'obtenir des sections nettes par simple glissement du couteau dans la viande, le fruit ou le légume.

Les poids, l'équilibre et la forme du couteau jouent un rôle déterminant. Utilisez des couteaux en acier inoxydable. L'outillage classique comprend les pièces suivantes :

- Le couteau à trancher (1), à lame longue d'env. 20 cm, large et pointue.
- Le couteau-scie (2), à lame longue d'env. 20 cm, et dentelée, pour une belle coupe du pain et des gâteaux.
- Le couteau à jambon (3), à lame longue et flexible à bout arrondi, alvéolée ou cannelée, pour les ondes et les lignes sinueuses.
- Le couteau de cuisine « chef », appelé aussi couteau universel, pour trancher, émincer, hacher et approprié à de multiples autres emplois (4). Il ne doit pas manquer à la panoplie du parfait cuisinier.
- Le couteau à filets de sole (5), à lame longue et flexible, pointue, pour fileter le poisson ou parer la viande.
- Le couteau d'office (6), le plus petit, 10 cm au plus, et le plus utilisé, à lame pointue et peu large, pour éplucher légumes et fruits, et effectuer tous les petits travaux.

Les ustensiles spéciaux

Ils servent à maîtriser les travaux impossibles à effectuer avec les instruments ordinaires. Ces assistants sont aussi de préférence en acier inoxydable. Le choix présenté vous permettra d'effectuer toutes les décorations décrites dans cet ouvrage.

- Le vide-pomme (8) sert à ôter le « cœur », pépins et péricarpe, des pommes sans les abîmer.
- Le zesteur, aussi appelé canneleur ou couteau à canneler (9) pour les travaux filiformes sur les agrumes et la confection de cannelures et de zestes.
- La cuillère parisienne, dotée d'un petit cuilleron ovale, cannelé ou rond (10–12), sert à lever des boules dans le melon et la pomme de terre.
- La cuillère à perle, pour prélever de toutes petites boules ou perles de légumes.
- Le couteau à frites ou à julienne, pour donner aux pommes de terre diverses formes, et prélever la chair des fruits et des légumes à creuser, par exemple pour les farces.
- Le couteau émminceur ou canneleur (15), conçu pour les légumes et tous les travaux délicats, la confection de motifs de fruits, ou pour entailler et encocher les écorces.
- Le couteau coquilleur (ou frise-beurre) (16) sert au découpage du beurre en coquilles, en boules ou en fines tranches ondulées.
- Le coupe-radis (17) permet la confection de spirales de radis.

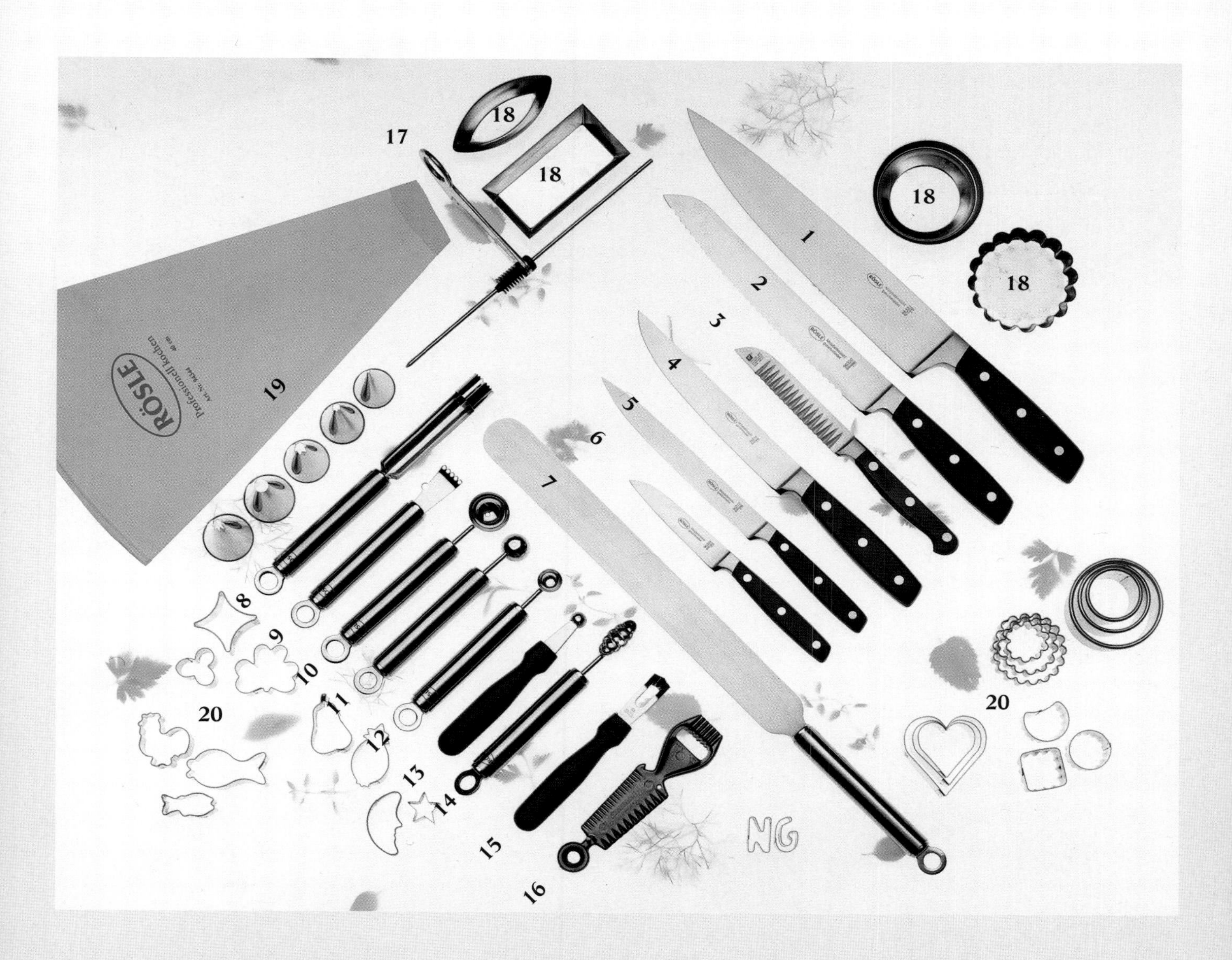

• Le coupe-œuf permet de couper des quartiers et des tranches d'œuf réguliers.

• Le couteau éplucheur ou économe pour éplucher finement les légumes.

• L'emporte-pièce pour d'originaux ornements de beurre et le découpage de croustillants de pommes de terre de divers motifs.

• Le coupe-papier ou la pointe sèche servent à décorer l'écorce dure du melon ou du potiron. On les achète en papeterie.

Les ustensiles de pâtisserie

• Le couteau-palette (7), pour étaler les pâtes, les crèmes et les glaçages et soulever tartes et crêpes.

• La poche à douille (19) sert à distribuer un produit de consistance pâteuse, crème, chantilly, pâte à chou. L'ouverture des douilles est de diamètre variable, ronde ou aplatie, lisse, dentelée (pour les serpentins) ou cannelée.

• Le moule à barquette pour tartelette (18)

• L'emporte-pièce de forme et de grandeur variable (20) sert à confectionner divers petits-fours secs, mais aussi des décorations de légume ou de chocolat.

• La cuillère à arroser sert à napper régulièrement de glaçage ou de chocolat fruits et gâteaux.

Les ustensiles de cuisine

1 Le couteau à trancher est idéal pour détailler les gros fruits ou les gros légumes, ainsi que pour ciseler les herbes et détailler légumes et viande.

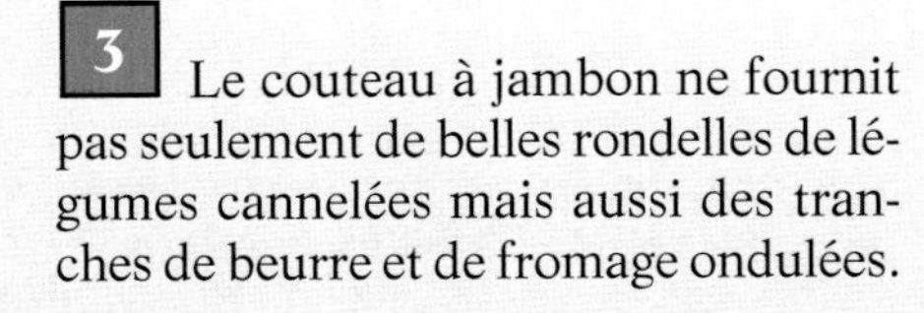

3 Le couteau à jambon ne fournit pas seulement de belles rondelles de légumes cannelées mais aussi des tranches de beurre et de fromage ondulées.

4 Le couteau de cuisine « chef » ou couteau universel sert à éplucher les fruits et à détailler les légumes ou la viande.

6 Le couteau d'office est utilisé pour inciser, entailler, couper en quartiers, peler et effectuer tous les petits travaux sur les légumes et les fruits.

7 Le couteau-palette nappe uniformément crèmes, sauces et glaçages.

8 Le vide-pomme est aussi utilisé pour la confection de champignons de pomme de terre (p. 23).

9 Zesteur, canneleur mandoline permettent d'exécuter les travaux filiformes sur les agrumes et d'émincer certains légumes en julienne.

10 La cuillère parisienne, au cuilleron de 3 cm de diamètre est utile pour lever des boules de melon ou de potiron.

11 La cuillère parisienne, au cuilleron de 2 cm de diamètre a la dimension idéale pour les petites boules de beurre.

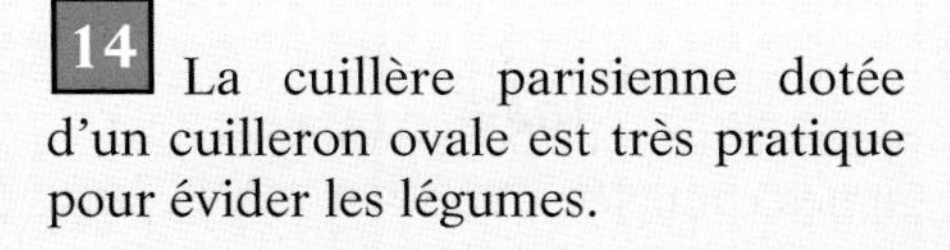

13 La cuillère à perle prélève de toutes petites boules de légumes et de fruits pour décorer une assiette ou un dessert.

14 La cuillère parisienne dotée d'un cuilleron ovale est très pratique pour évider les légumes.

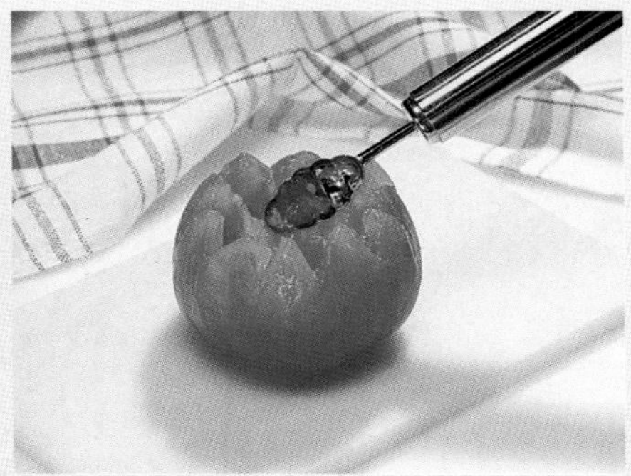

15 Le couteau éminceur ou le canneleur s'emploie pour les motifs dans les champignons et y dans l'écorce des courgettes et des agrumes.

16 Le couteau coquilleur (ou frise-beurre) sert à la confection uniforme de coquilles d'une légère pression sur le bloc de beurre.

17 Percer le radis avec la broche du coupe-radis et confectionner une spirale en tournant uniformément le couteau.

18 Le moule à barquette pour tartelette permet la diversité dans la forme. La plus classique est la forme ronde.

19 La poche à douilles met en forme non seulement la chantilly et la crème mais décore de serpentins les œufs farcis.

20 L'emporte-pièce de petite dimension s'utilise pour les ornements de pommes de terre ou de légumes colorés.

20 Des emporte-pièces originaux. Les lettres montrées ici sont idéales pour les légumes, les pommes de terre, le beurre et le chocolat de couverture.

LES GARNITURES DE LÉGUMES

*Mis en scène
sur l'assiette
ou sur un buffet,
les oiseaux
d'artichaut,
les souris de radis
ou les étoiles
de courgette
attirent toujours
l'œil.*

◆

Ruée vers le gruyère

◆

Le radis

Nous connaissons deux variétés de radis, le radis rond, rouge total, et le radis demi-long à bout blanc. Il s'apprête cru, nature, avec du beurre frais et du sel, et se prête à une multitude de garnitures intéressantes. Le radis se conserve mieux si vous coupez les fanes en revenant du marché.

Emploi : laver les radis et couper racines et fanes.

Apprêts : ils garnissent les plats de viande ou de gibier, égayent les plateaux de fromage ou les assiettes de crudités, et s'apprêtent en salade, détaillés en rondelles fines.

Les carottes

Nous trouvons sur nos marchés des carottes toute l'année : au printemps les carottes nouvelles en bottes avec leurs fanes, en été et au début de l'automne, les demi-longues, à peine plus robustes que les jeunes carottes,

1 **La souris** : couper un radis à longue racine (pour la queue) sur un côté dans le sens de la longueur. Couper également les feuilles.

2 Inciser deux fentes pour les oreilles du côté opposé à la face plate. Couper en deux le morceau enlevé pour confectionner la face plate et enfoncer une oreille dans chaque fente.

3 Creuser deux petits trous pour les yeux et y enfoncer la tige de deux clous de girofle. Inciser deux fentes sous les yeux pour la bouche.

et en hiver, les grosses carottes longues, se conservant tout l'hiver.

Emplois : les jeunes carottes nouvelles ou celles de l'été, encore tendres, ne devraient pas être épluchées, mais simplement brossées sous un filet d'eau. Les grosses carottes d'hiver se pèlent à l'économe.

Pour la décoration et les ornements, ne pas choisir des carottes nouvelles, ou trop petites. Elles garnissent les entrées, les hors-d'œuvre et les apprêts de viande et de poisson. Les étoiles et les perles de carotte constituent des motifs très décoratifs dans les garnitures de légumes ou comme part d'une assiette de légumes.

Le radis blanc, rouge et noir

Il est commercialisé toute l'année. Il existe des variétés blanches et rouges, ainsi que le long radis noir d'hiver de Paris. Choisissez des pièces intactes, à la peau lisse et à la chair ferme.

Emplois : Il est brossé sous le robinet d'eau froide et sert à garnir les sandwiches, les toasts, les assiettes de charcuteries et les buffets campagnards.

La pomme de terre

Il y a en Allemagne environ 130 variétés de pommes de terre. Pour nos ornements, nous prendrons une pomme de terre à chair ferme, cuite croquante, car la pomme de terre crue épluchée noircit.

Emplois : La pomme de terre s'épluche à l'économe et se coupe en fines rondelles à l'aide d'une râpe à concombre.

Elle décore et accommode les apprêts de viande ou de poisson.

1 **La couronne de radis :** aplatir les parties supérieures et inférieures et faire une coupe transversale du radis en zigzag.

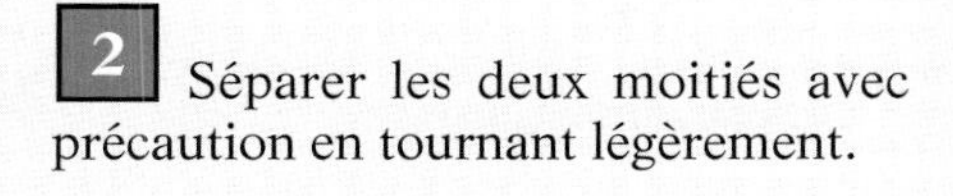

2 Séparer les deux moitiés avec précaution en tournant légèrement.

1 **L'étoile de radis :** couper les fanes et la racine et inciser le radis 8 fois de haut en bas.

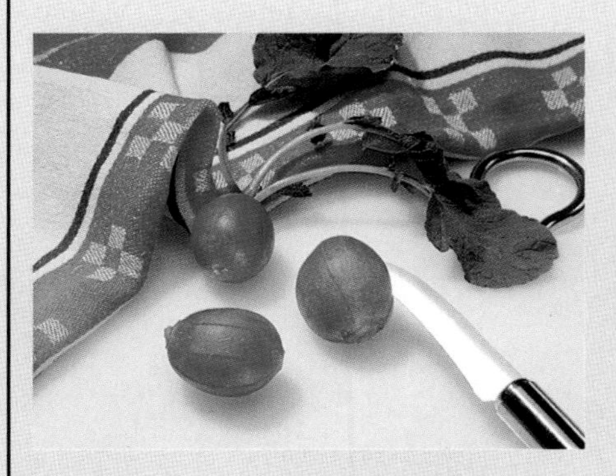

2 Éplucher chaque pétale à l'aide d'un couteau fin et mettre l'étoile dans de l'eau glacée pour qu'elle s'ouvre.

1 **La barquette de radis :** émincer le radis lavé, essuyé et débarrassé de ses parties non comestibles.

2 Remplir un fond de tartelette ovale de 7 cm de long de farce à l'œuf (p. 77) et garnir de radis émincé, de pétales de radis et de feuilles de menthe.

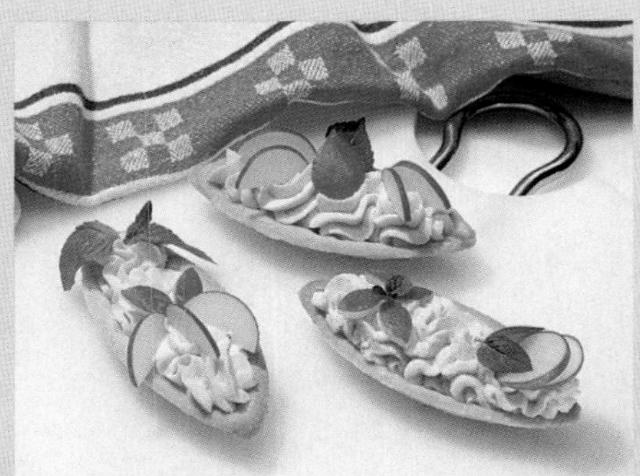

Garnitures de radis

Boutons, fleurs et coccinelles mettront une note colorée sur votre table.

La couronne de radis est décrite à la page précédente. Placez-la sur une rondelle de concombre cannelée et décorez avec des herbes aromatiques.

L'étoile de radis est également décrite page 17. Elles sera plus majestueuse si vous la placez sur une feuille de salade.

Le bouton de radis : débarrasser le radis des feuilles et de la racine, puis placer le couteau à la pointe de la racine et inciser le radis 12 fois de haut en bas pour confectionner de fines feuilles. Mettre le bouton dans l'eau glacée pour qu'il s'ouvre.

La rose de radis : débarrasser le radis des feuilles en laissant 2 cm de fanes et couper la racine.

Couper le radis en pentagone tout autour de la racine. Les fentes doivent se chevaucher. Laisser s'ouvrir la rose en la mettant pendant 1 h dans de l'eau glacée.

La coccinelle : ne soyez pas déçu si vous n'y parvenez pas du premier coup, car elle n'est pas facile à confectionner.

Débarrasser le radis des feuilles et de la racine. Couper le radis à plat d'un côté et le placer sur le ventre. Pourvoir le dos de la coccinelle de petits points avec la pointe d'un couteau fin ou à linogravure. Couper dans le corps un triangle au milieu et le retirer avec précaution. Enfoncer deux brindilles de ciboulette raccourcies dans la tête de la coccinelle en guise d'antennes.

La coccinelle, au lieu d'être tachetée sur le dos, peut être rayée.

Garnitures de carottes

Sortez de votre sac à malice des arrangements esthétiques – boucle, ruban, nœud, perle, étoile – par combinaison d'éléments simples.

◆

Nœud de carotte : détailler une carotte en fines tranches dans le sens de la longueur à l'aide d'une râpe à légumes, puis les couper en bandes d'1 cm de large, les blanchir à l'eau bouillante et les rafraîchir. Confectionner deux nœuds coulants avec deux bandes, faire glisser un nœud dans l'autre, tirer avec précaution et couper les bouts en biais.

Ruban de carotte : détailler une carotte en fines lamelles dans le sens de la longueur, les blanchir à l'eau bouillante, en les laissant croquantes, les rafraîchir et les éponger. Inciser les lamelles d'un côté dans le sens de la longueur et passer l'autre bout dans la fente.

Ornements de carotte : détailler des carottes crues en fines lamelles dans le sens de la longueur. Confectionner des dessins géométriques, losanges, triangles etc. et les assembler à d'autres ornements découpés dans des navets, des courgettes etc.

Fleur de carotte : détailler une carotte crue en fines lamelles dans le sens de la longueur. Inciser, à l'aide d'un couteau, de fines lanières dans la largeur, jusqu'au centre. Poser les lamelles côte à côte, les enrouler et les faire tenir avec un bâtonnet en bois. Garnir avec une perle de carotte et une herbe, et poser la fleur sur une rondelle de concombre.

Perles de carotte : prélever à l'aide d'une cuillère parisienne, de toutes petites boules dans une carotte crue épluchée, en tournant la cuillère. Les blanchir à l'eau bouillante salée, puis les rafraîchir.

Étoile de carotte : blanchir une carotte croquante et la rafraîchir. Canneler le pourtour au couteau à canneler, puis émincer la carotte.

Bouquet de fleurs de carottes : découper des carottes et des navets en fines lamelles dans le sens de la longueur. Prélever les feuilles vertes d'un poireau, blanchir le tout à l'eau bouillante salée, rafraîchir et éponger.

Confectionner des boutons de fleur cannelés de carotte et de navet à l'emporte-piéce, puis des pétales ovales avec un petit couteau. Découper les feuilles de poireau en forme de tiges et de feuilles. Composer un bouquet.

GARNITURES DE RADIS ET DE POMMES DE TERRE

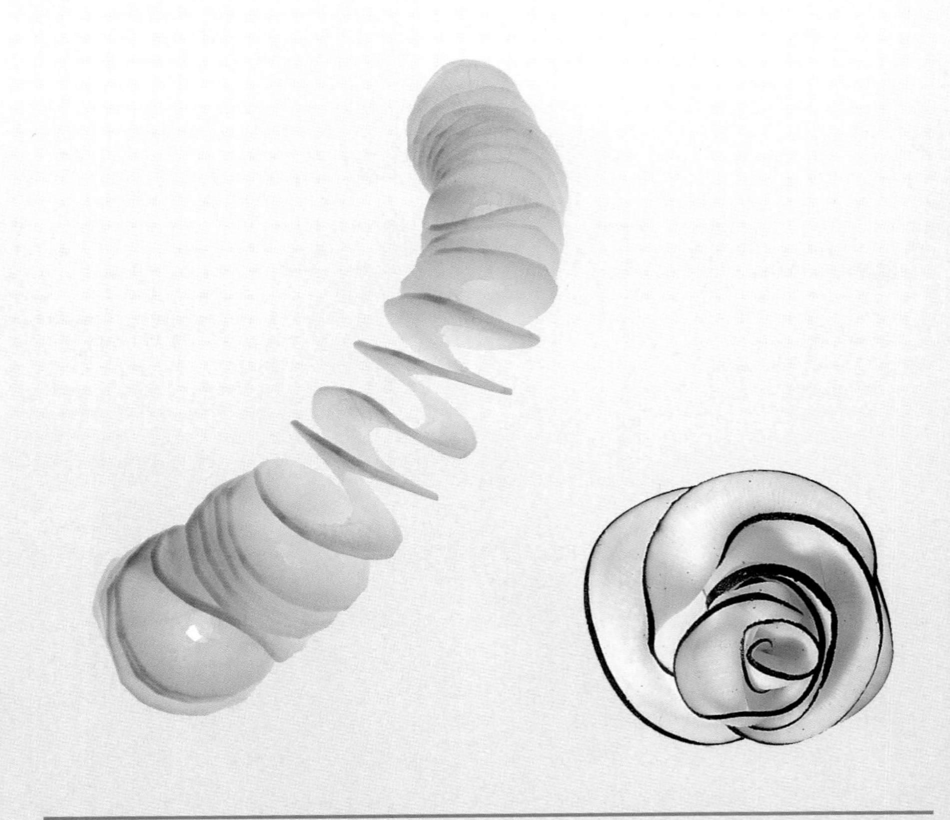

Décors rustiques et garnitures originales.

◆

Le radis blanc permet de confectionner tout un éventail de belles garnitures et de décorations élaborées pour des buffets froids genre rustique. Les ornements de pommes de terre conviennent davantage aux garnitures originales de plats.

La rose se confectionne avec un radis noir brossé à l'eau courante, puis épongé. Couper les bouts et détailler le radis en rondelles d'1 mm d'épaisseur. Parsemer de sel et laisser dégorger 3 à 4 min. Rincer et éponger. Disposer les rondelles en files, décalées de 2 cm les unes des autres, et les enrouler serrées, de la première à la dernière rondelle. Lier l'extrémité inférieure avec une brindille de ciboulette, et aplatir le bout, pour que la rose ait une assise stable. Rabattre avec précaution les pétales vers le bas.

1 Spirale de radis : une garniture vite confectionnée et qui fait de l'effet sur un buffet rustique.

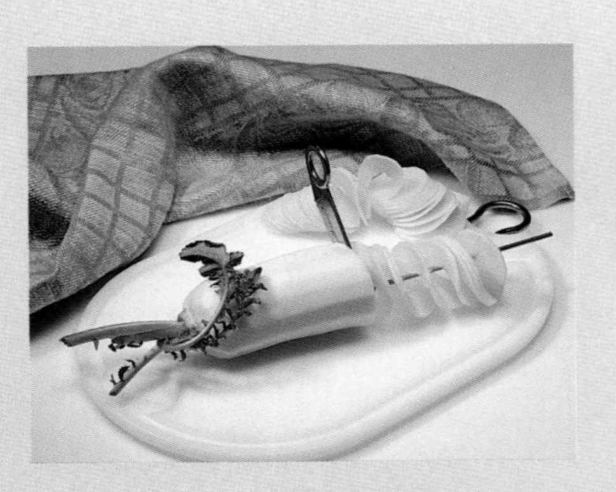

Il faut pour cette garniture un ustensile spécial. Éplucher le radis et couper les bouts. Piquer la brochette du taille-spirale sur toute la longueur du légume et tailler une spirale en faisant tourner le couteau avec précaution.

2 Roses de radis dans des paniers de tomates : les couleurs des deux légumes contrastent vivement.

Ainsi disposées, les roses de radis sont particulièrement belles. Confectionner un panier de tomate (description p. 31) et disposer une rose de chaque côté de l'anse. Garnir de feuilles de basilic.

3 Brezel de pommes de terre : une garniture croustillante et décorative. Il faut, pour la confectionner, une friteuse.

Éplucher les pommes de terre, les couper en rondelles et découper des bretzels à l'emporte-pièce. Faire chauffer la graisse de friture à 180 °C, y faire dorer les bretzels. Saler légèrement.

4 Champignons de pomme de terre : une garniture originale pour plats de tous genres et assiettes de légumes.

Éplucher les pommes de terre, prélever des boules à l'aide d'une cuillère à racine, enfoncer un vide-pomme d'un tiers dans la boule et égaliser le pourtour du tiers inférieur. Arrondir la tête du champignon au couteau, retirer le vide-pomme et blanchir les pommes de terre à l'eau salée.

5 Ornements de pommes de terre : on obtient de très beaux ornements avec des emporte-pièces de diverses formes et différents motifs.

Éplucher les pommes de terre, les couper en rondelles et découper divers motifs à l'emporte-pièce : feuilles, animaux ou petits cœurs. On les colore en les blanchissant dans un jus de betterave rouge, de l'eau de safran ou un jus d'épinard.

LES COURGES

Un dessert automnal délicat : compote de potiron garnie de fraises, avec glace au citron.

◆

Les courges

Il existe dans le monde entier quelques 8000 variétés de courges et c'est un légume qui figure à de nombreux menus sur tous les continents, en Amérique, au Proche-Orient et en Afrique.

Les marchés européens offrent des courges de diverses formes et grandeurs. Nous trouvons, en été, les courgettes, vertes, jaunes et blanches, et le pâtisson. Ces deux variétés de courge ont une peau fine. Les variétés à écorce plus dure, potiron, citrouille, à la pulpe jaune ou orangée, se consomment en hiver.

Emplois : Les courgettes sont simplement lavées et débarrassées du pédoncule. Le potiron s'épluche et l'on consomme la chair, juteuse et de teinte franche, débarrassée de ses graines et de ses filaments.

Apprêts : Les potirons coupés en deux et évidés servent de soupière, de saladier ou de compotier. Les décorations de courgettes garnissent assiettes de crudités, de fromage, de charcuterie etc.

1 **Évider un potiron :** décalotter un potiron en zigzags un peu au-dessus du centre.

2 Retirer les graines et les filaments à l'aide d'une cuillère à bords coupants.

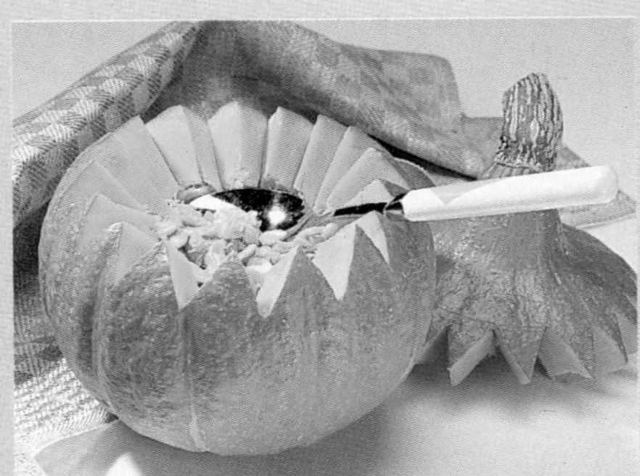

3 Couper la chair au couteau et l'utiliser selon la recette correspondante.

Compote de potiron

Ingrédients pour 10 personnes

Cuisson : 30 minutes

Refroidissement : 1 heure

1	potiron d'env. 2,5 kg
1	gousse de vanille
1	citron non traité
1	orange non traitée
300 g	de sucre
20 g	de poivre vert
40 ml	de grand marnier
300 g	de fraises
12	feuilles de citronnelle
1 l	de glace au citron

1. Couper le potiron en deux, puis en quatre, après l'avoir débarrassé de ses graines. Retirer l'écorce et détailler la chair en cubes de 2 cm.

2. Fendre la gousse de vanille dans le sens de la longueur et en gratter la pulpe noire. Râper l'écorce des agrumes, en presser le jus et le porter à ébullition dans une casserole avec 1 l d'eau, les zestes, la gousse de vanille, la pulpe de vanille et le sucre.

3. Joindre les cubes de potiron au bouillon, porter à ébullition, retirer du feu et couvrir. Rincer le poivre à l'eau froide et le mélanger à la compote avec la liqueur d'orange. Rafraîchir pendant une heure. Verser la compote dans les compotiers de potiron préparés (v. p. 24), retirer la gousse de vanille. Laver les fraises, les couper en deux, puis en éventail, et garnir le potiron. Poser les feuilles de citronnelle sur la compote et servir celle-ci avec la glace au citron.

1 **Lettres de potiron :** débarrasser un gros potiron de ses graines, couper l'écorce et détailler la chair en cubes d'1 cm. Découper des lettres de l'alphabet à l'emporte-pièce.

2 Faire chauffer de la graisse de friture dans une friteuse à 180 °C et faire frire les lettres de potiron. Laisser égoutter sur un papier absorbant.

1 **Sculpter des ornements dans une écorce de potiron :** orner au crayon ou au feutre l'écorce d'un potiron évidé.

2 Sculpter les ornements au coupe-papier ou à la pointe sèche, lignes géométriques, fleurs, signes graphiques etc.

Les courges

Un potiron servi en soupe dans son écorce qui accroche le regard sur un buffet d'automne.

◆

Le concombre

D'autres variétés de courge, du cornichon au concombre, trouvent emploi dans toutes les cuisines du monde et sont aussi très répandues chez nous. Disponibles dans toutes les grosseurs, les cornichons sont confits dans du vinaigre ou préparés à l'aigre-doux, et plus ou moins acides, plus ou moins lisses, plus ou moins croquants.

Emplois : Le concombre se lave et se pèle à l'économe, sa peau étant trop épaisse dans une salade. Dans nos décorations, il n'est toutefois pas pelé pour qu'il ne s'avachisse pas.

Apprêts : Les décorations de concombre accompagnent les assiettes de charcuterie. Les barquettes de concombre sont une entrée très décorative.

1 **Courgettes farcies** : couper la courgette en tronçons de 5 cm de long et l'inciser au centre en zigzag à l'aide d'un couteau fin.

2 Séparer les deux moitiés d'un mouvement rotatif. Évider légèrement les couronnes à l'aide d'une cuillère parisienne.

3 Remplir les courgettes de quelques losanges de poivron, de morceaux de tomate et de bouquets de brocoli blanchis ou de fleurs de carotte.

Soupe de potiron

Ingrédients pour 12 personnes
Cuisson : 90 minutes

2	potirons d'env. 2,5 kg
1	oignon
50 g	de gingembre frais
1	gousse d'ail
30 g	de beurre
2,5 l	de bouillon de légumes
300 g	de crème fraîche
1	bouquet de coriandre
1 c. à c.	de sel marin
	Poivre du moulin
1	pincée de noix de muscade

1. *Décalotter un potiron un peu au-dessus de la moitié et le débarrasser de ses graines, mais laisser la chair. Décorer l'écorce* *(voir. p. 25.)*
2. *Éplucher le deuxième potiron, le débarrasser de ses graines et détailler la chair en gros cubes.*
3. *Éplucher les oignons, le gingembre et l'ail et les couper en dés. Faire chauffer le beurre dans une casserole et y faire blondir les oignons. Ajouter le bouillon de légumes et laisser mijoter 30 min.*
4. *Passer la soupe au mixeur. Lier avec la crème fraîche et porter à ébullition.*
5. *Effeuiller les feuilles de coriandre et en ciseler la moitié. Les ajouter à la soupe et épicer.*
6. *Verser la soupe chaude dans le potiron évidé. Garnir avec les feuilles de coriandre réservées et fermer avec le couvercle.*

1 **Rondelles de courgette cannelée :** creuser des cannelures bien proches dans la courgette à l'aide d'un zesteur ou d'un canneleur.

2 Couper ensuite les courgettes en rondelles régulières et les disposer en lignes.

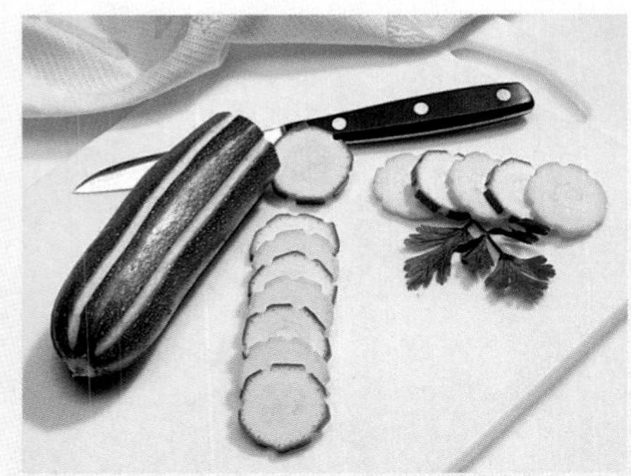

1 **Fleur de courgette :** disposer les rondelles de courgette en rond et les garnir de petits triangles de tomates.

2 Nettoyer, citronner et canneler une tête de champignon et la mettre en bouton de fleur au centre de la couronne de courgettes.

1 **Étoile de courgette :** couper la courgette en deux et couper chaque moitié en triangles.

2 Poser une moitié de tomate farcie au milieu d'une assiette et disposer les triangles de courgette tout autour.

Garnitures de concombres

Ces motifs
de concombre, éventail,
poisson, voiture de course
et bateau, n'amuseront
certainement pas
que les enfants.

◆

Éventail de concombre : canneler, puis couper un concombre en deux, détailler chaque moitié en tronçons de 5 cm, et les inciser à l'aide d'un couteau à lame fine. Le concombre doit tenir à un bout sur une largeur de 1 cm. Ouvrir l'éventail.

Un éventail de cornichon à la russe se confectionne pareillement, en émincant le cornichon sur toutes la longueur.

Poisson de concombre : émincer le morceau central d'un concombre. Couper un des deux bouts en deux dans le sens de la longueur, puis l'émincer sans trancher complètement. Ouvrir l'éventail qui sera la queue du poisson. Détailler dans l'autre bout de concombre les nageoires.

Peler un poivron rouge. Couper au vide-pomme un disque pour l'œil et avec la cuillère à perles quelques boules pour les bulles d'air. Détailler le reste du poivron en fines lamelles.

Disposer les rondelles de concombre comme des écailles de poisson, y appliquer les nageoires et la queue. Garnir la bouche et la tête de poivron, placer l'œil et répartir les bulles d'air.

Voiture de concombre : confectionner dans un tiers de concombre coupé à l'oblique, 4 roues de 2 cm d'épaisseur et un volant, plus petit que les roues, dans le bout mince du concombre. Canneler l'autre bout de concombre au zesteur dans le sens de la longueur et tailler un siège de conducteur dans le bout incurvé du côté de l'oblique. Attacher le volant et les roues avec un cure-dent en bois.

Bateau de concombre : couper un concombre dans le sens de la longueur et l'évider à la cuillère parisienne. Aplatir la partie incurvée du concombre pour lui donner une assise stable. Mélanger du fromage frais avec un peu de lait et l'enrichir d'herbes hachées (facultatif). Saler et poivrer. Pousser le fromage frais dans une poche à douille cannelée et coucher des serpentins de fromage frais dans le concombre évidé. Couper les moitiés de concombre en tronçons de 3 à 5 cm de long et les garnir d'ornements de tomate et de feuilles de basilic.

LÉGUMES À FRUITS

Des tomates d'un rouge vif, qui donne de l'accent.

◆

Tomates

Un menu sans tomates est devenu, de nos jours, impensable. Ce fruit légèrement acide, aussi appelé pomme d'amour, existe dans de nombreuses variétés : en grappes, petites et moyennes, de type charnu, rond, piriforme, allongé (olivette), tomates cerises, petites, moyennes et jaunes. Pour les garnitures, il est conseillé de prendre les tomates charnues.

Emplois : enlever de préférence le pédoncule qui contient de la solanine, substance nocive. De nombreuses garnitures exigent que les tomates soient pelées et épépinées (voir la description en bas de cette page.) Les tomates rondes sont particulièrement faciles à épépiner.

Apprêts : la tomate farcie intervient comme hors-d'œuvre sur un buffet froid ou comme élément de décor de plats froids. La rose de tomate est une jolie décoration pour garnir entrées et plats principaux.

1 **Peler les tomates :** entailler la tomate en croix et la plonger 10 secondes dans l'eau bouillante.

2 Sortir la tomate de l'eau et la rafraîchir à l'eau froide. Elle se laisse maintenant bien peler avec un couteau à lame pointu.

3 Éponger la tomate pelée et la couper ou l'épépiner, selon l'emploi.

Fleur de tomate : peler éventuellement la tomate et la couper en huit quartiers. L'épépiner. Disposer les huit quartiers à plat en cercle et intercaler du persil commun entre chaque pétale. Pousser dans une poche à douille dentelée une rosace de farce à l'œuf (p. 77) surmontée d'une olive noire au centre de la fleur.

Papillon de tomate : peler éventuellement la tomate et la couper en quatre quartiers. L'épépiner. Coucher, à l'aide d'une poche à douille dentelée, un corps svelte de farce à l'œuf (p. 77) et disposer deux quartiers de tomate de chaque côté. Poser des ornements de poivron vert et jaune sur les ailes, et confectionner les antennes avec deux brins de ciboulette. Poser deux rondelles d'olive noire émincée sur la farce pour les yeux.

1 **Rose de tomate :** décalotter une tomate et la peler en un ruban de 2 cm de large.

2 Enrouler la peau en une fleur de rose, la poser sur un lit d'herbes, basilic ou persil, ou sur une rondelle de concombre.

1 **Tomates farcies :** peler les tomates et faire une coupe transversale en zigzag à l'aide d'un couteau d'office.

2 Séparer les deux moitiés de tomates et les évider à la cuillère parisienne. Les remplir de petites perles de légumes et garnir d'herbes aromatiques.

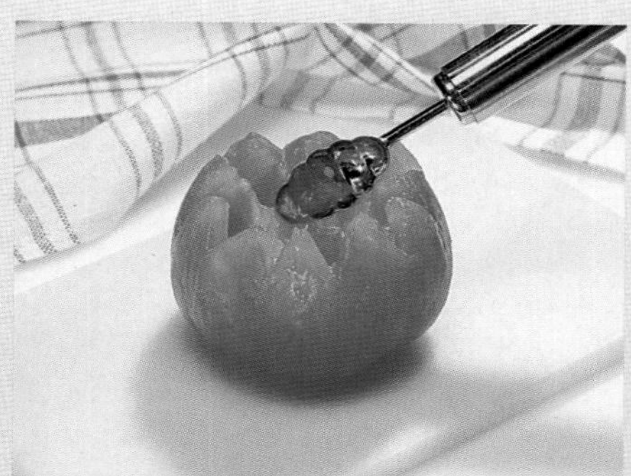

1 **Paniers de tomates :** confectionner une anse de panier de 1 cm de large en incisant une tomate pelée de part et d'autre du pédoncule jusqu'à la moitié de sa hauteur.

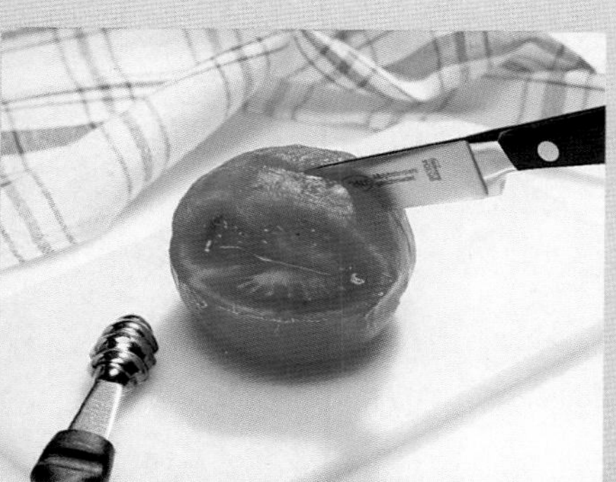

2 La couper ensuite à l'horizontale et enlever les morceaux de tomate situés de part et d'autre de l'anse. L'épépiner à l'aide d'une cuillère parisienne et remplir de crevettes, de pointes d'asperge et de cerfeuil.

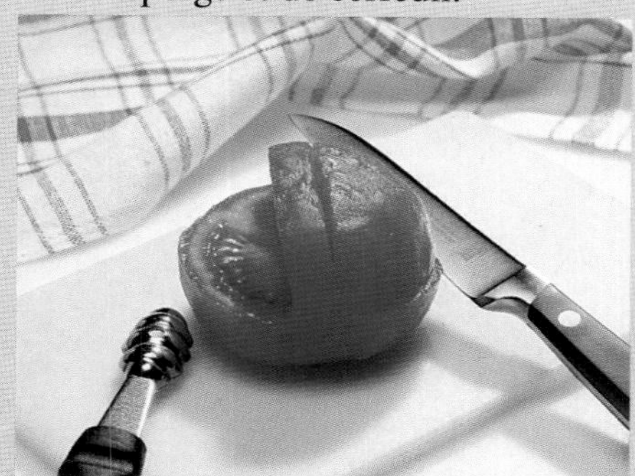

Légumes à fruits

Les poivrons sont des saladiers très décoratifs.

◆

Avocat

Ce fruit originaire d'Amérique centrale est surtout importé d'Israël et d'Espagne. D'un point de vue botanique, l'avocat fait partie des fruits exotiques. Il ne déploie son arôme que quand il est mûr et l'avocat est mûr quand il est souple sous le doigt. S'il est ferme, il lui faut quelques jours pour mûrir à température ambiante, et un peu moins de temps s'il est enveloppé dans du papier journal avec une pomme.

Emplois : couper l'avocat en deux et retirer le noyau. Selon l'emploi, éplucher l'avocat ou farcir chaque moitié sans l'éplucher. Citronner la pulpe pour éviter qu'il ne s'oxyde à l'air. Mettre le noyau dans la mousse d'avocat pour qu'elle se conserve sans noircir.

Apprêts : les avocats farcis (voir p. 35) constituent une belle entrée et sont décoratifs sur un buffet froid.

Poivron

Le poivron est de différentes couleurs, rouge, jaune et vert, pour les plus courants, le vert étant un poivron rouge cueilli avant maturité. Il existe aussi des variétés de poivron orange, violet et noir. Le poivron a de toutes les variétés de fruits et de légumes, le taux le plus élevé de vitamine C. Il accroche le regard dans les salades et les garnitures à cause de sa couleur vive et de sa peau brillante.

Emplois : laver, puis couper les poivrons en deux et les épépiner. Pour les farcir, les ouvrir du côté du pédoncule, les épépiner, les débarrasser des peaux blanches et les rincer à l'intérieur.

Apprêts : les ornements de poivron se prêtent aux garnitures de plats froids, de salades et de plats de viande et de légumes. Les poivrons coupés en deux sont des saladiers très décoratifs.

Aubergine

Il existe des aubergines de plusieurs formes et couleurs, mais la plus courante est la variété oblongue à la peau lisse et brillante, d'un violet plus ou moins foncé, recouvrant une chair claire et ferme. Elle s'accommode parfaitement de condiments affirmés. Elle est mûre quand elle est souple sous le doigt.

Emplois : laver et décalotter les aubergines.

Apprêts : aubergine crue sur les brochettes en garniture.

Salade de crevettes en saladier de poivron

Ingrédients pour 10 personnes
Cuisson : 15 minutes

2	poivrons épépinés,
1	vert et 1 jaune
250 g	de champignons
20	crevettes cuites et décortiquées
150 g	de mayonnaise
50 ml	de ketchup
100 g	de chantilly fouettée
20 ml	de cognac
1 c. à. c.	de sel marin
	Poivre du moulin
1	oignon blanc frais
10	petits poivrons rouges
Pour la garniture :	
10	olives noires dénoyautées et émincées
	Feuilles de cerfeuil

1. *Laver et couper les poivrons en deux. Nettoyer les champignons et les couper en cubes de 1 cm, de même que les crevettes.*
2. *Mélanger la mayonnaise et le ketchup, y incorporer la chantilly et enrichir la sauce avec le cognac, le sel marin et le poivre.*
3. *Laver, et émincer les oignons. Mélanger tous les ingrédients dans un récipient.*
4. *Laver les poivrons rouges, les ouvrir du côté du pédoncule, les épépiner, les débarrasser des peaux blanches et les farcir de salade de crevettes.*
5. *Disposer les olives émincées avec le reste de crevettes et le cerfeuil sur la farce en décoration.*

1 **Peler des poivrons :** faire cuire des poivrons coupés en deux et épépinés, peau en haut au four à 250 °C jusqu'à ce que la peau se décolle.

2 Sortir les poivrons du four, les laisser refroidir couverts d'un torchon humide et les peler avec un couteau d'office.

1 **Ornements de poivron :** détailler des poivrons crus ou pelés en larges lanières.

2 Découper dans les lanières divers motifs ornementaux à l'emporte-pièce

Garnitures d'avocats

Des garnitures,
éventail d'avocat
ou de pamplemousse,
qui réjouissent la vue
et le palais.

◆

Pamplemousse à l'avocat : éplucher l'avocat, le couper en deux, le dénoyauter et le détailler en 12 quartiers dans la largeur du fruit. Éplucher un pamplemousse, débarrasser chaque tranche de sa peau fine et mélanger le jus de pamplemousse avec un jus de citron et du miel. Incorporer un peu d'huile d'olive et assaisonner de sel marin et de poivre. Disposer les quartiers d'avocat comme une fleur en alternance avec des tranches de pamplemousse et napper de sauce. Garnir d'ornements de poivron et de feuilles d'herbes aromatiques.

Éventails d'avocat : éplucher l'avocat, le couper en deux, le dénoyauter et le détailler en fines lamelles de 5 mm de large, sans couper jusqu'au bout de l'extrémité la plus mince. Aplatir légèrement l'éventail et intercaler des huitièmes de tomates pelées entre chaque lamelle. Garnir de persil.

Avocats farcis : éplucher l'avocat, le couper en deux et le dénoyauter. Citronner l'avocat sur toutes ses faces et le farcir de crevettes marinées dans l'aneth et le cognac. Napper d'une sauce cocktail et garnir chaque moitié d'avocat d'une crevette, d'une fine tranche d'olive farcie et de pluches d'aneth.

Quartiers d'avocats : éplucher l'avocat, le couper en quatre, le dénoyauter et aplatir légèrement les quartiers pour leur donner une assise stable. Mélanger jusqu'à obtention d'une pâte lisse du fromage frais double crème avec du persil haché et du paprika en poudre. Pousser la crème dans une poche à douille à embout rond et lisse sur les quarts d'avocat. Garnir d'olive noire, de lamelles de poivron et de persil commun.

Oignons et champignons

Les garnitures de champignons se marient parfaitement avec les pâtés de gibier.

◆

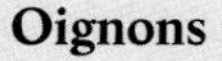

Oignons

Les variétés d'oignon se distinguent principalement par la couleur et la grosseur. Outre l'oignon jaune, le gros oignon doux et les petits oignons blancs, il existe aussi une variété d'oignons rouges et rosés.

Emplois : les oignons ne s'épluchent pas d'avance, mais seulement au moment de l'emploi.

Apprêts : ils garnissent les assiettes de charcuterie et de fromage de style campagnard.

Champignons

Les champignons de Paris blancs doivent avoir une tête fermée. La variété bistre est souvent plus parfumée. La morille est un champignon de printemps très savoureux et fin. Le reste du temps, on le trouve séché.

Emplois : citronner les champignons destinés à la décoration car ils noircissent vite. Préparer les morilles fraîches comme les champignons de Paris. Les morilles séchées doivent tremper une douzaine d'heures dans de l'eau. Pour les garnitures, les morilles sont souvent farcies.

Apprêts : pour la décoration d'entrées, de plats froids et de buffets.

1 **Fleur d'oignon** : éplucher un oignon et le décalotter.

2 Détailler les deux couches extérieures en huit lamelles de haut en bas jusqu'aux trois quarts de la hauteur de l'oignon.

3 Mettre l'oignon dans de l'eau glacée, afin qu'il s'ouvre en calice.

Morilles farcies

Ingrédients pour 10 personnes
Trempage : 12 heures
Cuisson : 30 minutes

2	grosses morilles séchées
200 g	de blanc de poulet
½ c. à c.	de sel marin
	Poivre du moulin
1	pincée de noix de muscade
150 g	de chantilly
1 c. à s.	de cognac
2 c. à s.	de persil haché
2 c. à s.	de dés de poivron hachés

Pour la garniture :
Ornements de poivron

1. *Faire tremper les morilles pendant 12 h dans de l'eau froide, les nettoyer ensuite avec beaucoup de soin dans plusieurs eaux pour les débarrasser de la terre, et les éponger.*
2. *Détailler le blanc de poulet en menus morceaux et les hacher au mixeur. Saler, poivrer et condimenter de noix de muscade, puis les hacher très finement au mixeur en y ajoutant la crème chantilly.*
3. *Mélanger le cognac, le persil et les dés de poivron à la farce. Remplir les morilles de farce en la poussant dans une poche à douille ronde et lisse. Pocher ensuite les morilles à l'eau bouillante salée pendant 5 minutes. Les sortir à l'écumoire et les laisser refroidir.*
4. *Éponger les morilles, les couper en rondelles et garnir d'ornements de poivron.*

1 **Préparer les champignons :** pour les décorations, choisir de gros champignons à tête bien fermée.

2 Citronner les champignons, afin qu'ils ne noircissent pas.

1 **Chrysanthème d'oignon :** ce motif s'effectue aussi bien avec un oignon rouge qu'avec un gros oignon ou un oignon jaune.

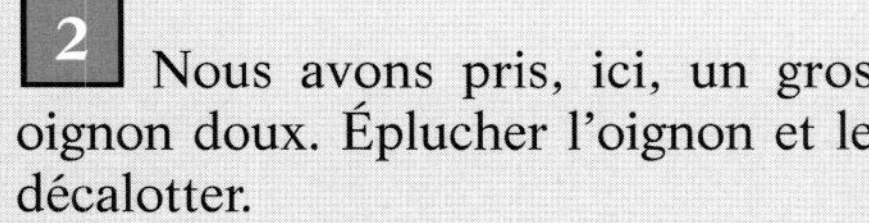

2 Nous avons pris, ici, un gros oignon doux. Éplucher l'oignon et le décalotter.

3 Détailler l'oignon en seize lamelles de haut en bas en laissant 1 cm en bas.

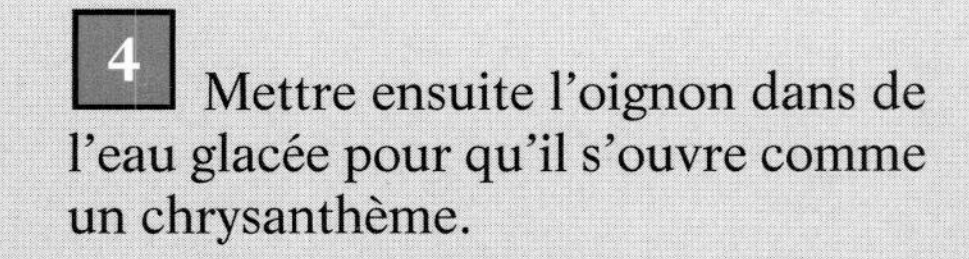

4 Mettre ensuite l'oignon dans de l'eau glacée pour qu'il s'ouvre comme un chrysanthème.

Garnitures de champignons

Décorations variées de champignons de Paris et de morilles.

◆

La morille et le champignon de Paris sont les seules variétés de champignons qui se prêtent aux garnitures car ils ont une chair ferme. On peut utiliser les blancs ou les bistres, c'est une question de goût. Les bistres sont légèrement plus savoureux.

Ne pas couper le pied des champignons pour les ciseler ou les canneler, afin de mieux pouvoir le tenir pendant l'opération.

Nous avons vu que pour éviter que les champignons brunissent à l'air, il fallait les citronner. Pour accélérer l'opération si vous avez beaucoup de champignons à préparer, immergez-les dans un récipient rempli d'eau citronnée.

Pour que votre garniture de têtes de champignons cannelées déploie tout son arôme, faites-la étuver quelques minutes au beurre.

1 **Morilles farcies :** cette entrée décorative s'apprête aussi bien avec des champignons frais que séchés.

Couper les morilles farcies (recette p. 37) en long ou en rondelles et les dresser garnies d'ornements de poivron.

Dresser les morilles en entrée avec une salade composée.

2 **Champignon farci :** cet apprêt est idéal pour le gros champignon, mais les petits se farcissent aussi bien.

Casser le pied d'une tête de champignon cannelée et remplir celle-ci de mousse de pâté de foie (composée de deux doses de pâté de foie à pâte fine et d'une dose de beurre fouetté et mousseux.)

Garnir le champignon d'un ornement de poivron ou de tomate et le garnir de feuilles de cerfeuil.

3 **Champignon cannelé :** combinée avec des ornements de poivron de toutes les couleurs, cette garniture est encore plus décorative.

Confectionner des cannelures au zesteur à partir du milieu de la tête du champignon. Couper le pied et citronner la tête.

Garnir le champignon d'ornements de poivron, ou le placer sur une rondelle de concombre ou une rose de tomate.

4 **Rondelles de champignons :** une garniture simple à préparer et qui orne autant les assiettes froides, que les salades, les entrées et les plats de viande.

Couper le pied des champignons, émincer les têtes et les citronner.

Les aligner chevauchant comme des tuiles ou les disposer en éventail et les orner de motifs de poivron.

5 **Champignons tournés :** cette garniture gagne également à être combinées avec des variétés de légumes aux couleurs plus vives comme les carottes.

Tourner les têtes des champignons en pratiquant des cannelures régulières en faucille du milieu de la tête au bord à l'aide d'un couteau d'office.

Couper le pied des champignons et badigeonner les têtes au citron. Dresser avec des fleurs de carotte ou des feuilles d'herbes.

L'oiseau artichaut, une décoration de table originale.

◆

Artichauts

20 % seulement du volume des gros chardons sont comestibles, à savoir le fond et la base charnue des feuilles, qui s'apprêtent avec une sauce vinaigrette ou hollandaise.

Emplois : les artichauts entiers se cuisent pendant 40-45 min à l'eau bouillante salée et citronnée. Couper la tige et aplatir le fond pour lui donner une assise stable, épointer les feuilles, mettre une tranche de citron sur la pomme et ficeler. Ne jamais cuire les artichauts dans une casserole en aluminium, cela les ferait noircir.

Apprêts : les fonds d'artichaut farcis sont très décoratifs sur un buffet. Choisir de gros fonds d'artichaut, les aplatir, afin de leur donner une assise stable et les remplir de mousse de pâté de foie (composée de deux doses de pâté de foie à pâte fine et d'une dose de beurre fouetté mous-

1 **Oiseau d'artichaut :** laver l'artichaut, couper la tige, aplatir le fond, poser une rondelle de citron sur les feuilles et ficeler. Faire cuire 20 min à l'eau.

2 Détacher cinq feuilles extérieures de l'artichaut, épointer les autres, qui constitueront le plumage, pour pouvoir le faire tenir à l'envers.

3 Assembler deux feuilles pour confectionner le bec, les faire tenir dans la racine. Inciser deux feuilles, les fixer de côté en guise de plumage de la tête et placer la cinquième feuille droite en guise de tête.

seux). Garnir de grains de raisin noir épépinés et de brindilles de ciboulette.

Asperges

L'asperge blanche est considérée comme le plus fin et le plus tendre des légumes et est soumis à un strict contrôle de qualité. Elle pousse sous des allées de terre en remblai et est cueillie juste avant son apparition au jour.

L'asperge verte, de saveur plus corsée et contenant plus de vitamine C que la blanche, pousse au-dessus de la terre.

Emplois : couper les asperges blanches à la même longueur et les peler de la pointe vers le pied avec un économe. On ne pèle que le dernier tiers de la tige des asperges vertes. Cuire les asperges croquantes avec une noix de beurre dans de l'eau bouillante salée et légèrement sucrée. La cuisson est de 15 min pour les asperges blanches et de 8 min pour les vertes.

Apprêts : les garnitures d'asperges se joignent aux entrées très fines et ornent les assiettes de jambon.

---

4 Fixer des rondelles de radis et des baies de genièvre pour les yeux. L'oiseau se confectionne aussi avec un artichaut cru.

1 **Bottes d'asperges :** peler le bas d'une botte d'asperges vertes et les blanchir. Les couper en biais à 5 cm de la pointe.

2 Les lier trois par trois avec des bâtonnets de carottes et des brindilles de ciboulette.

1 **Étoile d'asperges :** peler et blanchir des asperges blanches. Les couper en biais à 5 cm de la tige.

2 Disposer les pointes d'asperges en cercle et les intercaler de losanges de poivron ou de minces quartiers de tomates.

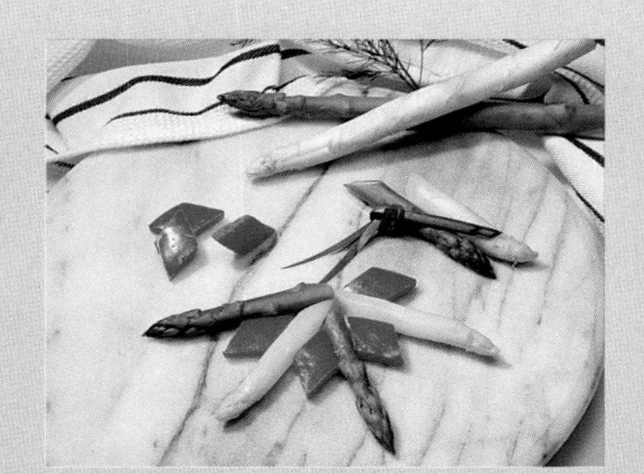

Des entrées délicates de saumon, de homard et de filet de porc.

◆

Saumon mariné à la coriandre (pour 4 personnes) : laisser mariner pendant 6 heures 300 g de filet de saumon dépouillé de ses arêtes avec ½ c. à c. de sel marin, ½ c. à c. de sucre de canne, 1 c. à s. de jus de limette et du poivre. Laver deux bouquets de feuilles de coriandre et en ciseler un.

Mélanger ½ c. à c. de gingembre râpé avec 4 c. à s. d'huile d'olive et la coriandre hachée. Découper respectivement ¼ de poivron jaune, rouge et vert en petits triangles. Dresser le saumon en fines lamelles sur des assiettes et napper de sauce à la coriandre. Répartir les triangles de poivron autour du saumon, parsemer de graines de sésame et garnir de feuilles de coriandre.

Homard aux asperges et au concentré de poivron (pour 4 personnes) : découper en menus morceaux 1 poivron rouge et 1 poivron jaune pelés. Les faire suer séparément quelques minutes avec 5 g de dés d'échalote dans ½ c. à s. de beurre. Mouiller avec ⅛ l de fumet de homard. Terminer la cuisson, réduire en purée fine au mixeur et assaisonner d'1 c. à c. de sel.

Peler 1 kg d'asperges vertes. Couper les tiges en tronçons et blanchir les pointes pendant une dizaine de minutes en ajoutant ½ c. à c. de sucre, du sel marin et un peu de beurre à l'eau de cuisson. Faire sauter les tronçons dans 2 c. à s. de beurre, additionnées de sel, de sucre et de poivre. Décortiquer 2 homards cuits de 600 g chacun et les détailler en médaillons. Dresser les asperges et le homard sur les assiettes. Garnir de concentré de poivron jaune et rouge en mêlant un peu les deux taches de la pointe du couteau. Orner de feuilles d'estragon.

Navettes de saumon en sauce aneth (pour 4 personnes) : pocher pendant une dizaine de minutes 400 g de filet de saumon frais dans 120 ml de fumet de poisson, 80 ml de vin blanc sec et 40 ml de noilly prat avec 1 c. à c. de sel et une pincée de poivre de Cayenne. Faire tremper 6 feuilles de gélatine dans de l'eau froide, les presser pour en faire sortir l'eau absorbée, puis les dissoudre dans le fumet chaud. Laisser refroidir et passer au mixeur. Fouetter 300 g de chantilly et l'incorporer. Remplir un moule plat tapissé de film transparent à 1,5 cm de hauteur et lisser. Recouvrir de 200 g de saumon fumé puis du reste de mousse de saumon et lisser à nouveau. Rafraîchir pendant 2 heures.

Hacher finement les ⅔ d'un bouquet d'aneth, le mélanger avec 400 g de crème aigre, saler et poivrer. Confectionner des navettes (losanges) de saumon de 3 cm de long et garnir de 80 g de caviar et de pluches d'aneth. Dresser sur les assiettes avec la sauce et des poissons de pommes de terre (p. 138).

Strudel de filet de porc (pour 4 personnes) : hacher 200 g de viande de porc désossée à l'aide de la grille de 3 mm d'épaisseur du hachoir. Mélanger le hachis avec 3 c. à s. de crème. Saler et poivrer. Incorporer 1 c. à s. d'herbes finement hachées. Faire revenir quelques minutes 250 g de filet de porc dans ½ c. à s. d'huile d'olive, rafraîchir et éponger. Recouvrir le filet de 5 mm de farce et l'envelopper d'une très fine abaisse de pâte à strudel surgelée (env. 60 g.) Cuire au four préchauffé à 180 °C pendant 15 min et réserver au chaud.

Faire étuver 1 c. à s. d'échalotes hachées au beurre et mouiller avec 0,1 l de vin blanc. Ajouter 0,1 l de fond de veau et un peu de safran moulu. Laisser réduire de moitié, ajouter 150 g de crème fraîche, cuire encore 5 min, saler et poivrer. Couper le strudel en rondelles, dresser sur des assiettes avec la sauce. Garnir de ciboulette et d'ornements de carotte (p. 20/21).

Des entrées pour tous les goûts : aux légumes, à la viande, au poisson, aux fruits de mer.

◆

Selle d'agneau en croûte (pour 4 personnes) : saler et poivrer 400 g de selle d'agneau et la faire dorer dans 1 cuillère à soupe d'huile d'olive. Faire blondir 1 cuillère à soupe de dés d'échalote au beurre et ajouter 150 g de champignons de Paris. Laisser étuver jusqu'à évaporation complète du liquide. Ajouter 50 g de chantilly et laisser réduire. Mélanger 50 g de chantilly et 2 jaunes d'œuf et lier à feu doux. Retirer la casserole du feu, saler et poivrer. Ajouter 1 cuillère à soupe de persil haché aux champignons et mettre au frais. Badigeonner la selle d'agneau de l'appareil obtenu, l'envelopper dans une abaisse de pâte feuilletée de 3 mm d'épaisseur. Badigeonner de jaune d'œuf battu. Cuire au four préchauffé à 180 °C pendant 20 min, laisser refroidir et couper. Faire étuver 200 g de haricots verts au beurre, peler, épépiner et détailler 150 g de tomates en dés et faire également étuver au beurre. Dresser la selle d'agneau garnie de bottes de haricots liés et le coulis de tomate.

Grenouilles d'épinards sur lit d'herbes (pour 4 personnes) : laver 12 feuilles d'épinards, les blanchir à l'eau salée, les rafraîchir puis les éponger. Mélanger 250 g de filet de truite saumonée hachée, 2 cuillères à soupe d'échalotes hachées et 2 cuillères à soupe de persil haché, 1 œuf et 60 g de chantilly. Saler et poivrer.

Répartir le tout sur les feuilles d'épinards, confectionner des petits paquets en les pliant. Les faire étuver quelques minutes au beurre en ayant soin de placer la couture sur le fond de la poêle. Ajouter un peu de fumet de poisson et cuire au

four préchauffé à 160 °C pendant 5 min à couvert. Sortir les grenouilles du four et les laisser refroidir. Hacher finement 1 bouquet d'estragon, de basilic, d'aneth, de cerfeuil avec 80 ml de fumet. Ajouter 200 g de crème fraîche, saler et poivrer. Dresser la sauce sur des assiettes, y disposer les épinards et garnir d'herbes.

Tartare de lotte sauce ciboulette (pour 4 personnes) : prélever dans un bouquet de ciboulette 20 brindilles et les couper d'une longueur de 5 cm. Hacher finement le reste et le mélanger avec 150 g de yaourt, sel et poivre. Mélanger d'autre part 30 g de dés d'oignon et 15 g de câpres avec 1 cuillère à café de jus de citron et 1 jaune d'œuf. Saler et poivrer et ajouter 2 cuillères à soupe d'huile d'olive et 250 g de filet de lotte haché. Peler 2 tomates, les couper en 8 quartiers et les épépiner. Inciser chaque quartier jusqu'à la moitié dans le sens de la longueur. Dresser le tartare sur des assiettes avec la sauce. Garnir de tomates, de ciboulette et de petits poissons de carotte (p. 138).

Gambas grillées sauce safran (pour 4 personnes) : nettoyer et vider 4 grosses queues de gambas décortiquées. Saler, poivrer et badigeonner de 2 cuillères à soupe d'huile d'olive. Mélanger 100 g de crème fraîche avec 20 g de tomato ketchup, 2 cl de cognac, sel marin et poivre. Ajouter 20 ml de fumet de poisson. Faire chauffer 50 ml de vin blanc avec une pincée de safran, ajouter 100 g de crème fraîche, sel marin et poivre. Mélanger un fenouil émincé avec 2 cuillères à soupe de vinaigre de vin blanc, 1 cuillère à soupe d'huile d'olive, sel et poivre. Hacher finement la moitié des pluches de fenouil et les ajouter. Dresser la salade de fenouil au milieu. Répartir les sauces sur le pourtour. Dessiner un cercle entre les sauces à l'aide d'une baguette. Faire griller les gambas 3 min de chaque côté, les poser sur la salade. Servir l'assiette garnie de pluches de fenouil, d'ornements de poivron et de croûtons.

LES GARNITURES DE FRUITS

Les fruits permettent une grande variété de combinaisons et, grâce à leurs couleurs vives, la pomme, l'ananas, le melon sont des motifs décoratifs.

◆

Poire et fromage, combinaison classique.

◆

Pomme

C'est aujourd'hui le fruit le plus cultivé et le plus consommé en Europe. La pomme est disponible toute l'année et dans de nombreuses variétés sans que la qualité en soit amoindrie. Les pommes qui se prêtent à la décoration sont les fruits fermes à la peau rouge ou verte, granny smith, breaburn, cox's orange et red delicious.

Emplois : pour éviter qu'elles brunissent, badigeonner les sections de citron ou pocher les quartiers de pomme (p. 49). Laisser ensuite refroidir les fruits dans l'eau et les éponger.

Apprêts : les garnitures de pomme sont, bien entendu, idéales pour les desserts, mais agrémentent aussi les terrines ou les pâtés de viande et de gibier.

1 **Cygne de pomme** : couper dans un quartier de pomme non épluché avec trognon une tranche à 3 mm du bord à l'aide d'un couteau d'office.

2 Recouper au moins trois autres morceaux jusqu'au milieu du quartier de pomme. Citronner les sections.

3 Découper un cou dans un autre morceau de pomme et le citronner. Assembler les morceaux de pomme alternés. Fixer le cou au corps.

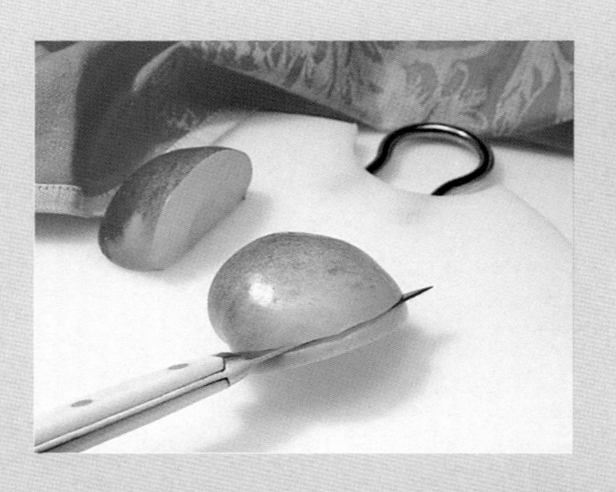

Poire

Comme la pomme, le fruit du poirier est un fruit des zones tempérées et très répandu. Sa saveur sucrée est due à son taux minime d'acidité. Il existe d'innombrables variétés de poires. Nous conseillons, pour les garnitures, les variétés à chair ferme, conférence, doyenné du Comice et alexandrine.

Emplois : la poire s'oxydant aussi vite que la pomme, arrosez-la de jus de citron ou faites-la pocher (voir ci-dessous.)

Apprêts : Les poires sont un excellent dessert, mais se marient bien aussi avec le fromage. Essayez les poires farcies (recette ci-contre) comme composante d'un plateau de fromage.

Pêche

On distingue la pêche à chair blanche et la pêche à chair jaune. Les pêches blanches se prêtent davantage aux décorations car leur chair se détache plus facilement du noyau. On utilise aussi des nectarines à la place des pêches.

Emplois : pour certaines garnitures, les pêches doivent être pelées. Pour ce faire, les ébouillanter, puis les rafraîchir à l'eau froide. La peau s'enlève alors aussi facilement que celle des tomates. Pour détailler la pêche en tranches, on la détache segment par segment avec un couteau bien aiguisé du noyau.

Apprêts : les garnitures de pêche se marient avec les desserts et les garnitures de viande. Les pêches farcies (p. 53) sont un excellent dessert sur un buffet.

Poires farcies

Ingrédients pour 10 demi-poires
Cuisson : 30 minutes

250 g	de fromage frais double crème
50 g	d'airelles rouges
10	moitiés de poires pochées
10	cerneaux de noix
10	feuilles de menthe

1. *Battre le fromage frais jusqu'à obtention d'un appareil mousseux et y incorporer les airelles.*
2. *Éponger les poires et aplatir la base pour leur donner une assise stable.*
3. *Pousser le mélange de fromage frais sur les poires à l'aide d'une poche à douille à embout rond et lisse. Garnir de cerneaux de noix et de menthe.*

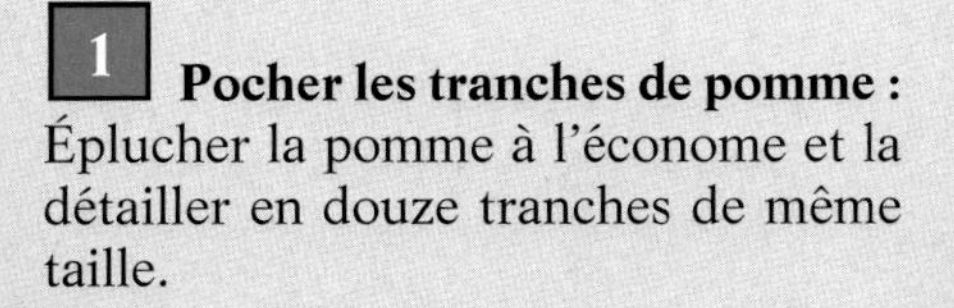

1 **Pocher les tranches de pomme :** Éplucher la pomme à l'économe et la détailler en douze tranches de même taille.

2 Débarrasser chaque tranche du trognon et citronner chacune d'elle pour empêcher qu'elle oxyde.

3 Pocher les tranches de pomme de 3 à 10 min à l'eau bouillante avec du sucre, un jus de citron et un peu de cannelle ou de sucre vanillé, puis les éponger.

De l'anneau de pomme pané, au cygne, voici des idées de desserts qui font rêver.

◆

Rondelles de pommes : éplucher une pomme et la débarrasser du trognon au vide-pomme. La détailler en rondelles et découper dans chaque rondelle des motifs en cœur, en étoile ou ondulés à l'emporte-pièce. Faire pocher ou frire les pommes dans une pâte à beignets. Dresser deux rondelles de pommes sur chaque assiette à dessert avec une sauce à la groseille et une mousse de mangue. Garnir de physalis enrobés de chocolat et de feuilles de menthe.

Ailes de pommes : aplatir une pomme sur un côté pour lui donner une assise stable. Détailler quatre ou cinq tranches fines sur les côtés droit et gauche et les poser légèrement décalées contre la pomme. Couper au milieu trois à quatre morceaux en forme de v et les superposer en les décalant légèrement. Dresser les ailes de pomme sur des assiettes à dessert avec de la glace aux fruits et une gaufre en forme d'éventail.

Papillon de pomme : aplatir une tranche de pomme pour lui donner une assise stable, enlever le trognon. Pocher la tranche de pomme et l'éponger.

Coucher, à l'aide d'une poche à douille dentelée, une ligne ondulée de mousse au chocolat sur la tranche de pomme. Apposer contre le corps 2 grandes ailes et 2 ailes courtes confectionnées dans les segments de pomme en forme de v (voir le cygne p. 48) préalablement citronnés. Parfaire le papillon avec 2 antennes en chocolat et des yeux de nougatine. Napper une assiette à dessert d'un peu de sauce au moka, poser le papillon dessus et garnir de feuilles de menthe.

Pommes farcies : éplucher une pomme, l'aplatir aux deux extrémités et faire une coupe transversale en zigzag au centre. Retirer le trognon à la cuillère parisienne. Pocher les moitiés de pomme, les rafraîchir et les éponger. Les farces sont variées, par exemple une mousse au moka. Garnir les pommes farcies d'ornements de pêche et de pistaches et les dresser sur une assiette à dessert avec une sauce à la pêche et une sauce à la fraise.

Cygne de pomme : pour confectionner un cygne, il faut un quart de pomme non débarrassé de son trognon et un autre quartier pour le cou (voir p. 48). Dresser un cygne sur un coulis brillant de curaçao et servir avec de la glace à la noix de coco.

Rondelles de pomme panées : les pommes se panent avec de la chapelure, de la noix de coco râpée ou des amandes effilées. Les rouler d'abord dans la farine, puis dans un œuf battu, et enfin dans la panade choisie. Faire frire les rondelles de pomme, puis les dresser avec une sauce à la cannelle et garnir de fraises et de kiwi.

Garnitures de poires et de pêches

1 **Éventails de poire :** une décoration facile à confectionner et savoureuse.

Éplucher et couper en deux quatre poires, les épépiner et les arroser de jus de citron.

Les pocher dans 1 l d'eau bouillante additionné de 180 g de sucre et de 100 ml de vin blanc. Porter à ébullition et laisser refroidir dans le liquide.

Éponger les poires et les couper, sans aller jusqu'au bout, du côté large au côté fin en tranches de 2 mm d'épaisseur. Aplatir un peu l'éventail.

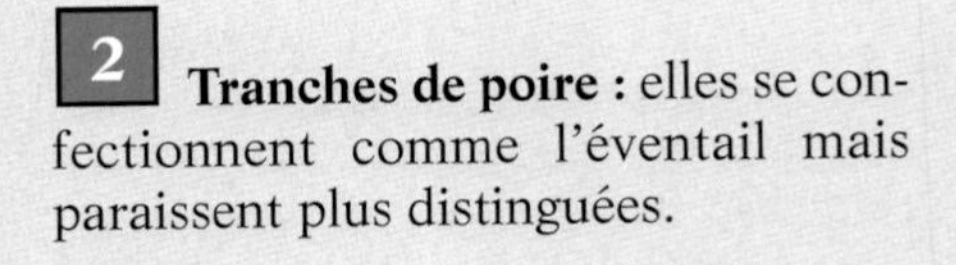

2 **Tranches de poire :** elles se confectionnent comme l'éventail mais paraissent plus distinguées.

Éplucher et couper quatre poires en huit, puis les épépiner.

Pocher la moitié des tranches de poire dans 1 l de vin rouge additionné de 200 g de sucre et d'un peu de cannelle. Porter à ébullition et laisser refroidir dans le liquide.

Pocher de la même manière l'autre moitié dans 1 l d'eau bouillante additionné de 200 g de sucre et d' ½ cuillère à café de sucre vanillé.

Faire alterner les tranches de poire claires et foncées et garnir de feuilles de menthe.

3 **Hérisson de poire :** une décoration amusante qui plaît aux enfants. Accompagné d'une boule de glace, c'est un merveilleux dessert.

Éplucher une poire, la couper en deux et prélever les trognons à la cuillère parisienne.

Pocher les poires dans ½ l d'eau bouillante additionné de 40 g de sucre et les éponger.

Piquer 3 cuillères à soupe d'amandes émincées grillées sur le dos des poires en guise d'épines. Creuser deux trous sur le côté le plus fin et y enfoncer deux raisins de Corinthe pour les yeux.

4 **Pêches farcies :** un dessert estival léger et savoureux joli à voir sur un buffet.

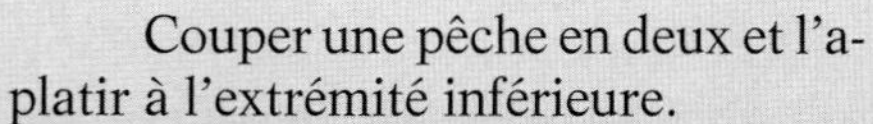

Couper une pêche en deux et l'aplatir à l'extrémité inférieure.

Mélanger 2 cuillères à soupe de fromage blanc avec un peu de sucre et farcir les pêches en formant une coupole.

Parsemer de myrtilles et de groseilles et garnir de feuilles de menthe.

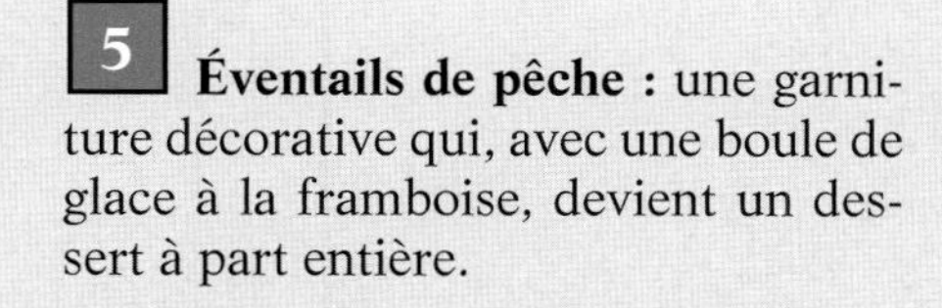

5 **Éventails de pêche :** une garniture décorative qui, avec une boule de glace à la framboise, devient un dessert à part entière.

Couper une pêche en deux, la dénoyauter, puis la détailler en 16 tranches. Éplucher un kiwi, le couper en deux dans le sens de la longueur et le détailler en 16 tranches dans le sens de la largeur.

Disposer les pêches et le kiwi en alternance en confectionnant un éventail.

Garnir le pourtour de 16 framboises. Poser au milieu de l'éventail 1 rondelle de kiwi, une framboise et une feuille de menthe.

6 **Voiliers de pêches :** une décoration astucieuse pour un dessert estival.

Couper une pêche en deux, la dénoyauter, puis la détailler en huit tranches.

Confectionner les voiles en fixant les quartiers d'orange à l'aide de bâtonnets en bois et garnir de quelques myrtilles et de feuilles de menthe.

Les agrumes

Les écorces d'agrumes font de beaux saladiers.

◆

Orange

On distingue trois variétés de ce fruit, cultivé dans les régions subtropicales et méditerranéennes : les blondes, les blondes navels et les sanguines, ces dernières servant essentiellement à être pressées. Pour les garnitures d'orange avec écorce, il est conseillé d'utiliser des fruits non traités.

Emplois : bien laver l'orange à l'eau chaude avant de l'utiliser avec son écorce.

Apprêts : dans les garnitures de plats froids, de volaille, de dessert, de salades et de sauces, on utilise la pulpe en quartiers (p. 55).

Pamplemousse

Il existe des pamplemousses à pulpe blonde, à pulpe rouge et à pulpe rose, ces derniers étant plus doux, moins amers et plus parfumés. Le pamplemousse ou pomelo juteux est souvent dégusté au petit déjeuner. Il favorise la digestion et a des propriétés laxatives.

Emplois : on le sert en hors-d'œuvre ou au petit déjeuner coupé en deux, chaque demi-fruit étant préalablement détaché de la peau à l'aide d'un couteau-scie spécial à lame recourbée. Quand il entre dans la composition de garnitures, on en utilise les quartiers (p. 55).

Apprêts : voir les oranges.

Citron

Le citron mûr se reconnaît à son écorce jaune. Si l'écorce entre dans la composition d'une recette, acheter des citrons non traités.

Emplois : voir les oranges.

Apprêts : le citron est surtout apprécié pour l'acidité de son jus et les huiles essentielles de son écorce qui parfument les mets et la pâtisserie d'un arôme caractéristique. Les rondelles ou les quartiers de citron accompagnent la viande grillée, le poisson et les plateaux de fruits de mer.

Lime ou limette

Ce petit citron, fruit d'un agrume, est souvent confondu avec d'autres variétés de citrus, mais constitue une espèce distincte. Sphérique, verte et très parfumée, la lime entre dans la composition des plats orientaux et sud-américains. Les fruits commercialisés sont en général non traités.

Emplois et apprêts : voir l'orange.

Salade de pamplemousse

Ingrédients pour 10 personnes
Cuisson : 45 minutes

5	pamplemousses
400 g	de tomates
2 c. à c.	de beurre
800 g	de crevettes
200 g	de champignons émincés blanchis
½	bouquet de ciboulette ciselée
500 g	de mayonnaise
200 g	de chantilly fouettée
1	pincée de poivre de Cayenne
1 c. à s.	de pernod

Pour la garniture :

40	fines tranches de tomates
	Quelques feuilles de basilic

1. *Confectionner des moitiés de pamplemousses en zigzag. Enlever la pulpe à la cuillère et détacher les quartiers.*
2. *Peler, épépiner et détailler les tomates en cubes d'1 cm. Faire fondre du beurre dans une poêle et y faire étuver les tomates quelques minutes.*
3. *Mélanger le coulis de tomate avec les quartiers de pamplemousse, les crevettes et les champignons. Incorporer la ciboulette, puis la chantilly à la mayonnaise.*
4. *Mélanger tous les ingrédients, relever de poivre de Cayenne et de pernod et disposer le tout dans les écorces de pamplemousses. Garnir de tranches de tomates et de feuilles de basilic.*

1 **Détacher les quartiers d'agrumes :** aplatir le fruit aux deux extrémités et l'éplucher en ayant soin d'enlever la peau blanche amère sous l'écorce.

2 Détacher les quartiers au couteau entre les peaux fines et recueillir le jus s'il entre dans la composition de l'apprêt.

1 **Canneler les agrumes :** creuser des cannelures proches les unes des autres à l'aide d'un zesteur ou d'un canneleur.

2 Détailler le fruit cannelé en rondelles entières, en demi-rondelles ou en quarts de rondelles, selon l'emploi.

1 **Coupes transversales en zigzag :** couper l'agrume au centre en zigzag à l'aide d'un couteau pointu et bien aiguisé.

2 Veiller à bien enfoncer le couteau pour qu'il pénètre au cœur du fruit. Séparer avec précaution les deux moitiés d'un mouvement rotatif.

Garnitures d'agrumes

1 Étoile de limette : cette garniture entre dans la composition de tous les apprêts qu'accommodent les agrumes.

Aplatir une limette aux deux extrémités et la couper en deux. Couper la partie centrale et détailler la limette en dix triangles avec l'écorce.

Disposer les triangles en une étoile à dix branches en intercalant une feuille de menthe entre chaque branche. Poser au centre une rose de radis (p. 18/19).

2 Visages de citron : l'escalope viennoise a deux fois meilleur goût garnie d'un visage souriant.

Ciseler un citron en douze cannelures, puis le couper en rondelles de 5 mm d'épaisseur.

Confectionner des visages avec des olives émincées et des lamelles de poivron et les disposer sur les rondelles de citron.

3 Moitié, moitié : herbes et épices peuvent varier, selon l'apprêt.

Ciseler un citron en douze cannelures, puis le couper en rondelles de 5 mm d'épaisseur.

Garnir la moitié des rondelles de poudre de paprika doux et l'autre de feuilles de persil haché finement.

4 **Couronne de citron :** sur un plat de poisson, elle change un peu des quartiers de citron habituels.

Aplatir le citron aux deux extrémités et faire une coupe transversale en zigzag au centre.

Séparer avec précaution les deux moitiés d'un mouvement rotatif et les garnir d'herbes.

5 **Fleur de pamplemousse au saumon :** cette garniture est en même temps une entrée légère.

Détailler un pamplemousse en quartiers et les disposer en cercle. Poser au centre une rose de saumon confectionnée avec une tranche de saumon fumé enroulée.

Garnir les pétales de feuilles de coriandre et d'olives noires émincées.

6 **Petites tours de fruit :** la base de cette garniture est une rondelle d'orange.

Éplucher une orange en enlevant aussi la peau blanche et la couper en rondelles.

Couper un kiwi en rondelles, après l'avoir épluché. Poser une rondelle de kiwi sur une rondelle d'orange, coiffer d'une fraise et garnir d'une feuille de menthe.

Garnitures d'agrumes

Voiliers, spirales ou petit cochon, chacune de ces garnitures donne de l'accent.

Voilier de limette : couper une limette en deux dans le sens de la longueur. Aplatir une moitié pour qu'elle ne tangue pas. Découper un renfoncement au milieu dans l'écorce et la pulpe. Découper deux fines rondelles dans une autre lime et un drapeau de paprika.

Fixer les rondelles de citron à l'aide de bâtonnets de bois à l'avant et à l'arrière du voilier en guise de voiles, et le drapeau sur l'une d'elles. Découper un triangle dans l'écorce d'une autre limette et le fixer en proue avec la voile.

Ohé, matelot !

Moitiés de citron : aplatir un citron aux deux extrémités et le couper en deux. Éplucher presque jusqu'au bout une bande de 3 mm de large en oblique à l'aide d'un couteau d'office et faire un nœud.

Spirale de citron : éplucher un citron en spirale au zesteur en commençant par le bout pointu. Mettre le citron drapé de l'épluchure dans un panier ou une assiette.

Petit cochon : percer deux petits trous pour les yeux du côté du citron se terminant en pointe. Encocher une bouche sous le groin. Mettre deux grains de poivre noir à l'emplacement des yeux. Couper dans une deuxième écorce de citron, quatre pattes, deux oreilles et une queue en tire-bouchon. Transpercer le quart inférieur du petit cochon à l'horizontale avec un couteau pointu, sans couper la partie inférieure. Fixer les oreilles, les pattes et la queue au corps. Couper la partie centrale en rondelles jusqu'à la coupure transversale.

Fleur d'orange : éplucher une orange et la découper en quartiers. Composer une fleur de quartiers d'orange avec pour tige une brindille de menthe avec ses feuilles. Placer une fraise à la place du pistil et quelques fraises émincées au bout de la tige.

Panier d'orange et de pamplemousse : découper une anse à droite et à gauche du centre, depuis le côté du pédoncule d'un agrume. Confectionner un bord en zigzag jusqu'à l'anse. Prélever la pulpe. Remplir le panier de pamplemousse de salade d'avocat et de pamplemousse et le décorer de fraises. Remplir le panier d'orange de salade de fraises et d'oranges et décorer de feuilles de citronnelle.

Nature morte de melons de différentes formes et diverses couleurs.

◆

Melon

D'innombrables variétés de ce fruit très répandu dans presque tous les pays chauds de la terre sont disponibles sur nos marchés. La pastèque, sphérique ou ovale, à peau vert foncé ou striée de blanc, à la chair rose plus ou moins teintée, est très riche en eau (95 %). La pastèque est mûre si elle sonne creux.

On distingue trois types principaux de melons : les brodés, les cantaloups et les melons d'hiver. Les premiers sont ronds, à peau réticulée. Le galia en fait partie. Sa chair est vert clair, sucrée, parfumée. Parmi les cantaloups, à côtes marquées et à chair jaune, le type charentais, dont la peau vert pâle est presque lisse, représente 95 % des cultures. Il a une chair

1 **Couper un melon** en deux et retirer les graines : couper un melon en deux avec un couteau et retirer les graines à la cuillère. Avant de le remplir, en aplatir la face bombée pour qu'il soit stable.

2 **Prélever des boules de melon :** prélever les boules en tournant une cuillère parisienne dans la chair d'un melon coupé en deux et débarrassé de ses graines.

3 **Couper un melon en zigzag :** faire une coupe transversale du melon en zigzag à l'aide d'un long couteau pointu. Faire tournoyer les deux moitiés, l'une dans un sens, l'autre à contresens, pour les détacher. Retirer les graines.

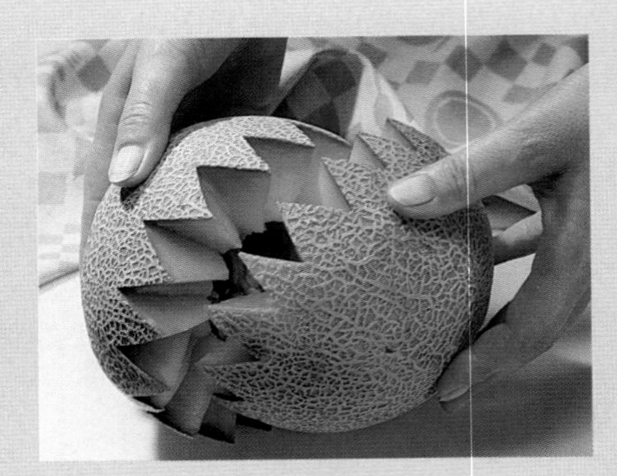

sucrée, juteuse et fondante. Parmi les melons d'hiver, oblongs, presque sans côtes, à chair jaune ou verdâtre, le plus connu est le jaune canari. L'ogen est un croisement entre le cantaloup et le melon brodé, et a une chair vert clair et parfumée.

Le melon témoigne d'une maturité suffisante si le côté opposé au pédoncule est souple sous le doigt et que son arôme est fort.

Emplois : ouvrir le fruit et le débarrasser de ses graines à la cuillère.

Apprêts : les décorations de melon accommodent les assiettes froides de jambon, de viande ou de volaille, ainsi que les terrines et les pâtés.

Kiwi

Le kiwi ne doit pas se conserver au contact du lait ou de produits laitiers, car il contient une enzyme dissociant les protéines, qui rend ces produits amers. Le kiwi est mûr si sa peau cède sous le doigt à la moindre pression.

Emplois : sa peau velue s'épluche à l'économe.

Apprêts : les garnitures de kiwi se marient bien avec les salades et les apprêts de volaille et de gibier.

Ananas

Plus les motifs d'écailles sur l'écorce sont visibles, plus le fruit qu'elle recouvre est aromatique. Le tronc du milieu du fruit ne se mange pas. L'ananas frais contient une enzyme laxative et dissociant les protéines. On ne doit donc pas le conserver longtemps au contact du lait ou de produits laitiers, car ceux-ci deviendraient amers.

Emplois : il faut compter 50% de déchets à l'épluchage de l'ananas. Les deux meilleures méthodes sont illustrées ci-dessous.

Apprêts : l'ananas permet d'accommoder le porc, le jambon et la poule.

Banane

La banane est un aliment apprécié et devenu courant. Elle est disponible toute l'année sans baisse de qualité. Pour les garnitures, utiliser des fruits jaunes, sans taches et à la chair ferme.

Emplois : citronner le fruit épluché pour une garniture, car il s'oxyde vite.

Apprêts : les garnitures de banane accommodent les assiettes froides avec de la viande ou de la volaille.

1 **Évider l'ananas :** Couper un ananas dans le sens de la longueur en lui laissant son panache de feuilles. Évider l'ananas en coupant la pulpe à 1,5 cm du bord à l'aide d'un petit couteau pointu. Retirer la partie centrale.

1 **Éplucher l'ananas :** araser l'ananas et couper l'écorce en bandes longitudinales avec un couteau bien aiguisé.

2 **Rondelles d'ananas :** couper l'ananas épluché en rondelles régulières. Évider le centre avec un emporte-pièce rond.

1 **Couper l'ananas en tranches :** couper un ananas non épluché en deux, puis le couper en huit tranches dans le sens de la longueur. Retirer la partie centrale et détacher la pulpe de l'écorce.

Garnitures de melon

Saveurs fruitées
aux teintes pastel.

◆

Panier de melon : couper le fruit de part et d'autre du pédoncule jusqu'au milieu à l'aide d'un couteau de cuisine de taille moyenne, en laissant une anse de 2 cm de large. Confectionner une ligne en zigzag de chaque côté de l'anse et soulever les deux morceaux latéraux. Retirer les graines à la cuillère. Prélever la chair avec une cuillère parisienne. Remplir le panier avec les boules prélevées et les grains de raisin noir et garnir de feuilles de menthe. Surmonter l'anse d'une rose de tomate et la fixer avec un bâtonnet en bois.

Barquettes de melon : couper un melon en deux, retirer les graines, puis le couper en tranches et détacher celles-ci de l'écorce à l'aide d'un couteau à filets de sole. Confectionner des brochettes avec un grain de raisin noir, une fraise, un morceau d'ananas et une cerise et piquer deux brochettes dans chaque barquette.

Boules de melon : leur confection est décrite p. 60. Elles peuvent servir à d'autres garnitures ou remplir l'intérieur d'un melon après avoir mariné dans du porto.

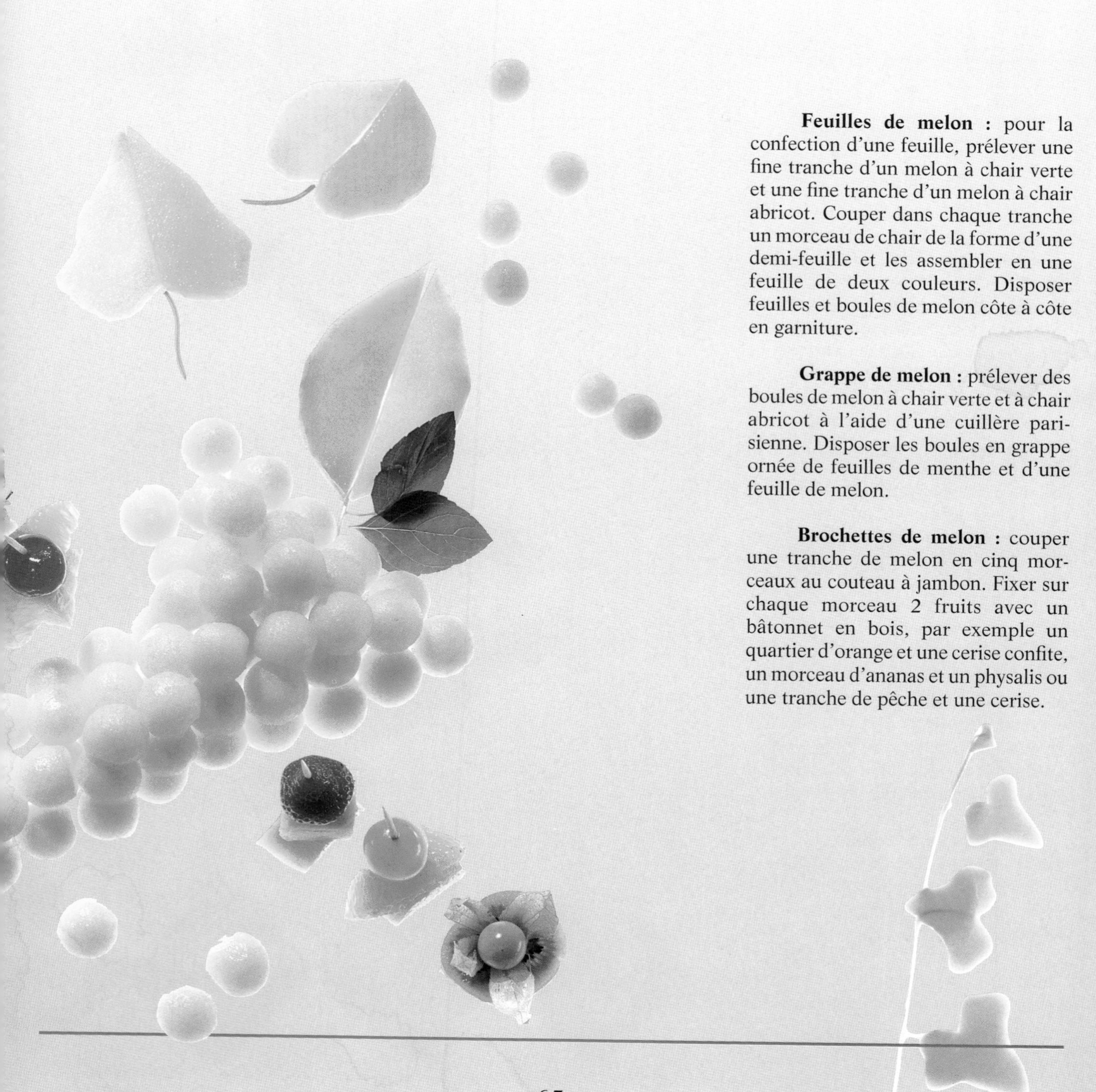

Feuilles de melon : pour la confection d'une feuille, prélever une fine tranche d'un melon à chair verte et une fine tranche d'un melon à chair abricot. Couper dans chaque tranche un morceau de chair de la forme d'une demi-feuille et les assembler en une feuille de deux couleurs. Disposer feuilles et boules de melon côte à côte en garniture.

Grappe de melon : prélever des boules de melon à chair verte et à chair abricot à l'aide d'une cuillère parisienne. Disposer les boules en grappe ornée de feuilles de menthe et d'une feuille de melon.

Brochettes de melon : couper une tranche de melon en cinq morceaux au couteau à jambon. Fixer sur chaque morceau 2 fruits avec un bâtonnet en bois, par exemple un quartier d'orange et une cerise confite, un morceau d'ananas et un physalis ou une tranche de pêche et une cerise.

Garnitures de banane et de kiwi

Des garnitures aux couleurs vives.

◆

Barquette de banane : éplucher la banane et aplatir la courbe extérieure pour lui donner une assise stable. Évider de l'autre côté la partie centrale à la cuillère parisienne. Citronner les sections. Mélanger du fromage blanc avec un peu de sucre et coucher l'appareil dans le creux de la banane à l'aide d'une poche à douille dentelée. Émincer deux fraises et les enfoncer dans le fromage blanc. Éplucher un kiwi, le couper en deux dans le sens de la longueur et en rondelles dans l'autre sens. Fixer les rondelles de kiwi autour du fromage blanc et poser des cigares de chocolat (p. 88) de part et d'autre de la barquette en guise de rames. Garnir de feuilles de menthe.

Éventails de banane : éplucher une banane et la découper en rondelles obliques. Éplucher un kiwi. Émincer quatre fraises et les intercaler entre les rondelles de banane en les faisant alterner avec des demi-rondelles de kiwi. Garnir de feuilles de menthe.

Bananes à la menthe : faire fondre (p. 88/89) 40 g de chocolat amer (quantité suffisante pour une banane) et bien remuer le chocolat fondu. Remplir une poche en papier. Éplucher une banane et la détailler en rondelles de 2 cm d'épaisseur. Les poser sur une grille et quadriller chaque ron-

delle de fins croisillons de chocolat amer. Mettre les rondelles sur des feuilles de menthe et éventuellement les poser, en plus, sur des biscuits au chocolat fourrés à la menthe.

Tranches de kiwi au saumon : éplucher un kiwi et le couper en huit tranches dans le sens de la longueur. Disposer les tranches en étoile et poser au milieu une rose de saumon fumé parsemée de poivre du moulin.

Couronnes de kiwi : faire une coupe transversale du kiwi en zigzag à l'aide d'un petit couteau pointu et aplatir les deux extrémités arrondies. Remplir une poche à douille à embout dentelé de fromage blanc sucré et pousser l'appareil sur chaque moitié de kiwi. Garnir de framboises, de myrtilles ou de groseilles. Servir aussitôt.

Éventails de kiwi : disposer des rondelles de kiwi en alternance avec des morceaux d'ananas et des rondelles de papaye en éventail. Garnir d'herbes.

Garnitures d'ananas

Le rouge et le vert se marient bien avec ce fruit exotique.

◆

Ornements d'ananas : éplucher un ananas et le détailler en rondelles d'1 cm d'épaisseur. Retirer la partie centrale à l'emporte-pièce. Couper chaque rondelle en six morceaux et garnir chacun d'eux avec une feuille de citronnelle, un demi-cerneau de noix et une cerise confite. On peut aussi les garnir d'écrevisses ou de cœurs de poivron et de feuilles de basilic.

Ananas farcis : couper l'ananas en deux y compris le panache de feuilles. Détacher la chair des bords au couteau. Découper la partie centrale, détailler la chair en morceaux et la mélanger avec des fraises coupées en deux et des rondelles de kiwi. Remplir les moitiés d'ananas évidé de salade de fruits et garnir de feuilles de menthe.

Rosace d'ananas : éplucher un ananas et le détailler en rondelles de 5 mm d'épaisseur. Retirer la partie centrale à l'aide d'un emporte-pièce rond. Couper chaque rondelle en six morceaux et disposer six morceaux respectivement en cercle. Recouvrir de rondelles de kiwi et de fraises et disposer les cercles en rosace. Garnir le centre d'un petit bouquet de feuilles de menthe.

Palmier d'ananas : aplatir un ananas, puis l'éplucher en laissant un morceau d'écorce en bas. Couper la chair au couteau jusqu'au centre dur du fruit. Couper ensuite la chair en morceaux. Fixer des raisins noirs ou des cerises avec des cure-dents sous le panache. Poser le palmier sur une assiette et disposer les morceaux d'ananas tout autour.

Salades en écorces de fruits

Douces ou piquantes,
ces salades ne sont pas
seulement un régal
pour la vue.

◆

Salade d'ananas (recette pour un ananas) : couper l'ananas en deux dans le sens de la longueur, retirer la partie centrale, couper la chair en gros tronçons. Éplucher trois kiwis et une mangue et les détailler également en gros morceaux. Laver 250 g de fraises et les couper en quatre. Mélanger 100 ml de jus d'orange et 20 ml de grand marnier, incorporer aux fruits. Remplir l'ananas de salade de fruits et garnir de feuilles de menthe.

Salade de pamplemousse (recette pour quatre pamplemousses) : découper la chair de quatre paniers de pamplemousse (p. 59) à la cuillère. Couper les quartiers en morceaux. Détailler quatre oranges en quartiers. Couper en quatre 40 g de cerneaux de noix. Éplucher et épépiner quatre tomates et les détailler en dés. Dénoyauter et couper en quatre 100 g d'olives noires. Couper en dés ½ céleri-branche. Mélanger 300 g de yaourt avec 2 cuillères à soupe de vinaigre de framboise, sel marin et poivre, et un bouquet de basilic haché finement. Incorporer aux autres ingrédients, remplir les paniers de pamplemousse et garnir de feuilles de basilic.

Salade de melon (recette pour un melon) : trancher un melon en zigzag et prélever la chair en boules (p. 60.) Mélanger les boules de melon avec 200 g de raisins blancs et noirs coupés en deux et épépinés, 200 g de framboises, ½ bouquet de citronnelle finement hachée et 50 ml de jus de citron. Remplir les moitiés de melon de salade de fruits et garnir de feuilles de citronnelle.

Salade de papaye (recette pour trois papayes) : couper des papayes en deux dans le sens de la longueur et les épépiner. Découper la chair et aplatir l'écorce sur la partie arrondie. Détailler un poivron rouge pelé en larges bandes. Émincer les têtes de 150 g de champignons de Paris. Mélanger 4 cuillères à soupe d'huile de graines de courge, 4 cuillères à soupe de jus de lime, sel marin, poivre et 30 g de graines de courge et incorporer aux autres ingrédients. Remplir les moitiés de papaye. Détailler 300 g de saumon fumé en lanières et quadriller les surfaces en traçant des losanges. Garnir de feuilles d'estragon.

Salade d'avocat (recette pour quatre avocats) : peler deux poivrons jaunes, découper huit ornements et couper le reste en dés. Peler, épépiner et détailler trois tomates en dés. Confectionner 16 brindilles de ciboulette de 5 cm de long. Couper les avocats en deux et les dénoyauter. Aplatir la partie arrondie et prélever la moitié de la chair. Mélanger de la ciboulette avec 300 g de crème fraîche, 3 cuillères à soupe de ketchup, 1 cuillère à soupe de cognac, du sel marin et du poivre de Cayenne. Couper 400 g de crevettes cuites en deux et les incorporer à la sauce avec les autres ingrédients. Remplir les avocats et garnir avec les ornements et les brindilles de ciboulette.

Poires farcies (recette pour cinq poires) : étuver 200 g de petites girolles avec une échalote hachée dans 3 cuillères à soupe d'huile d'olive. Peler, épépiner et détailler une tomate en dés. Épépiner une autre tomate et la couper en huit quartiers. Inciser chaque quartier à moitié. Hacher finement la moitié d'un bouquet de coriandre. Couper cinq poires williams en deux, enlever le trognon, prélever la moitié de la chair et la détailler en dés. Mélanger les ingrédients préparés et les assaisonner de 2 cuillères à soupe de vinaigre de vin blanc, de sel et de poivre. Garnir de tomates et de feuilles de coriandre.

BEURRE, ŒUFS, FROMAGE ET PAIN

Soignez le détail,
en mettant
la dernière main
à votre œuvre
culinaire,
avec des roses
de beurre,
des ornements
de fromage,
des œufs farcis
et des canapés
qui surprendront
vos invités.

◆

La grappe de beurre est la décoration idéale pour la fête des vendanges à l'automne.

◆

Beurre

On distingue le beurre composé de crème ou lait cru et le beurre composé de crème pasteurisée. Ce produit laitier aux nombreuses utilisations sert à la confection d'une multitude de beurres composés.

Avec un peu d'imagination, il est aisé de composer son propre mélange de beurre. Mais les beurres composés se trouvent aussi dans le commerce, notamment le beurre salé, le beurre d'ail, le beurre de poivre et le beurre de fines herbes.

Le beurre se ramollissant vite à température ambiante, il doit toujours être travaillé et servi frais. Conserver les garnitures au réfrigérateur ou dans une jatte d'eau froide avec des glaçons jusqu'à leur utilisation.

1 Roses de beurre : il faut 50 g de beurre froid par rose. Couper un morceau de beurre au couteau, confectionner d'abord une boule, puis un cône. Poser le cône sur un plan de travail.

2 Détailler dans le reste de beurre plusieurs morceaux. Confectionner de petites boules et les aplatir à la spatule. Le cône va être entouré de pétales de bas en haut.

3 Confectionner les pétales de rose de bas en haut autour du cône en pressant légèrement. Arrondir un peu les pétales au couteau. Conserver les roses terminées dans l'eau glacée jusqu'à leur utilisation.

Beurre de poivre vert

Ingrédients pour 10 personnes	
Préparation : 20 minutes	
250 g	de beurre
50 g	d'herbes hachées (cerfeuil, persil, thym, estragon, basilic)
1 c. à c.	de worcestersauce
1 c. à s.	de jus de citron
1 c. à s.	de pernod
1 c. à c.	de sel marin
	Poivre du moulin
2 c. à s.	de grains de poivre vert

1. *Laisser ramollir le beurre à température ambiante, puis le battre jusqu'à obtention d'une consistance mousseuse.*
2. *Incorporer les herbes finement hachées et assaisonner le beurre avec la worcestersauce, le jus de citron, le pernod, le sel marin et le poivre du moulin. Laver les grains de poivre vert à l'eau froide et les éponger.*
3. *Incorporer le poivre vert au beurre, pousser le beurre dans une poche à douille à embout rond et lisse, et confectionner des rosettes.*

Fromage

Parmi la grande variété de fromages, les fromages à pâte pressée se prêtent le mieux à la décoration. Les pâtes molles (brie, camembert) et certains chèvres se prêtent à la confection de brochettes. Ces variétés de fromage se marient bien avec les fruits. Le fromage doit être sorti du réfrigérateur au moins 1 heure avant sa consommation pour déployer tout son arôme.

1 **Brezel de beurre :** découper dans un paquet de beurre des tranches d'1 cm d'épaisseur et les mettre dans l'eau glacée.

2 Découper des brezel à l'aide d'un emporte-pièce de cette forme préalablement trempé dans l'eau froide.

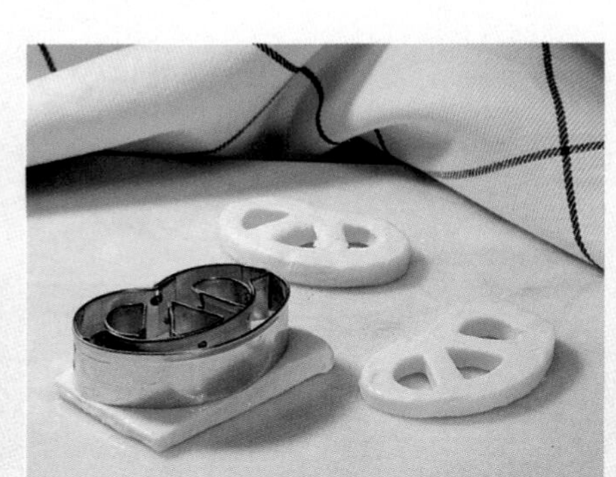

1 **Coquilles de beurre :** confectionner des coquilles dans un paquet de beurre froid, à l'aide d'un coquilleur préalablement trempé dans l'eau chaude.

2 Conserver les coquilles dans de l'eau froide jusqu'à leur utilisation.

1 **Boules de beurre :** prélever des boules dans un paquet de beurre froid, à l'aide d'une cuillère parisienne et les rafraîchir. Pour dessiner des motifs striés, les faire rouler sur une grille.

2 Les boules se servent à l'état pur ou roulées dans des herbes ciselées, de la poudre de paprika, des graines de sésame ou des noix hachées. Une grappe (v. p. 72) se confectionne avec 30 à 40 g de boules de beurre.

Garnitures de beurre et de fromage

Les motifs de produits laitiers sont décoratifs sur tous les buffets.

◆

Roses, boules, coquilles et brezels de beurre : la confection de ces garnitures fut décrite aux pages précédentes. Il est possible, bien entendu, de confectionner d'autres motifs que les brezels, selon les emporte-pièces à disposition. Toutes ces décorations accommodent les garnitures de pain dans les grands menus ou les buffets.

Voilier de fromage : couper un fromage à pâte pressée en tranches de 1 cm d'épaisseur et confectionner la coque du voilier. Faire la voile en piquant ⅛ de tomate épépinée sur un bâtonnet en bois et fixer une feuille de basilic en haut en guise de drapeau.

Brochettes de fromage : détailler diverses variétés de fromage en tranches ou en rondelles de 5 mm d'épaisseur, puis les couper en dés, en losanges ou en triangles ou leur donner la forme d'un biscuit à l'emporte-pièce. Les fixer sur des petites brochettes avec du raisin, des olives, et des morceaux de poivron, de tomate, de kiwi et de melon. Les brochettes peuvent être dressées piquées sur une moitié de pamplemousse.

Ornements de fromage frais : battre 1 part de beurre et 3 parts de fromage frais double crème jusqu'à obtention d'une consistance mousseuse et aromatiser d'herbes hachées, de poudre de paprika ou de safran. Coucher des serpentins, des vagues, des étoiles, des points ou n'importe quelle autre forme, à l'aide d'une poche à douille dentelée ou lisse. Les ornements de fromage frais décorent aussi bien les assiettes froides, que les rouleaux de jambon aux asperges ou autres légumes, les tomates évidées ou le pain.

Œillet de fromage : pour cette garniture, il faut être en possession d'une girolle, un instrument à manivelle verticale servant à racler certains fromages, notamment la tête-de-moine, fromage suisse à pâte pressée non cuite et à croûte lavée. La girolle permet de réaliser des copeaux de fromage minces et réguliers en forme d'œillets. Garnir d'une fleur de radis (p. 16/17) et de persil frisé.

Ornements de fromage : détailler des tranches de 5 cm d'épaisseur dans un fromage à pâte pressée, par exemple édam ou gruyère. Les couper au couteau à jambon ou leur donner différentes formes à l'emporte-pièce. Les ornements de fromage garnissent le pain, noir ou blanc. Les enjoliver, si l'on veut, d'ornements de poivron découpés à l'emporte-pièce.

L'œuf est un aliment aux emplois variés, et à l'emballage parfait.

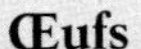

Œufs

On classe les œufs de poule par calibre, selon leur poids, du n°7 (moins de 45 g) au n°1 (70 g et plus). Le plus courant est le n°4, que nous employons dans nos recettes.

La fraîcheur d'un œuf se vérifie facilement, car la coquille est doublée d'une membrane qui, au sommet le plus arrondi, laisse un espace appelé « chambre à air », qui augmente de volume quand l'œuf vieillit. Moins l'œuf est frais, plus il flotte près de la surface dans une casserole d'eau. Un œuf frais reste au fond du récipient. Un œuf de trois semaines qui flotte à la surface ne doit se consommer que bien cuit.

Pour la cuisson d'un œuf dur de poule, il faut compter 10 min, pour celle des œufs de pintade 8 min et pour celle des œufs de caille 5 min. Piquer les œufs avant de les mettre dans l'eau, afin qu'ils n'éclatent pas. On peut aussi additionner l'eau d'un peu de vinaigre. Il empêche que les œufs fêlés coulent dans l'eau. Les œufs s'écalent mieux s'ils sont rafraîchis à l'eau froide après la cuisson.

1 **Farce à l'œuf :** cuire des œufs durs, les rafraîchir et les écaler. Les couper en deux dans le sens de la longueur et aplatir la partie bombée.

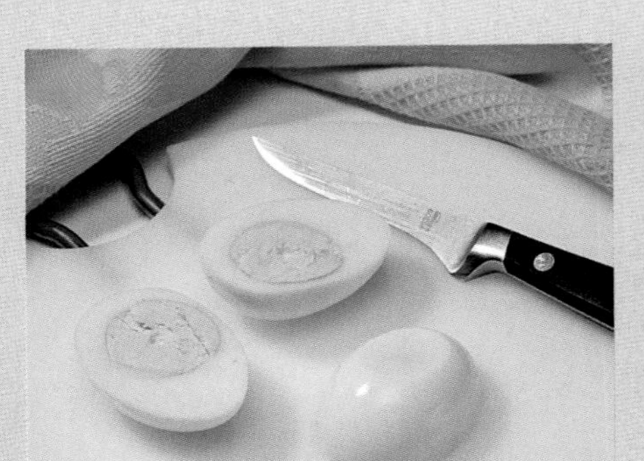

2 Réduire les jaunes en purée au mixeur, incorporer beurre et mayonnaise. Saler au sel marin et poivrer.

3 Pousser la farce à consistance mousseuse à l'aide d'une poche à douille dentelée dans les moitiés vides et garnir.

Farce à l'œuf

Ingrédients pour 20 moitiés d'œufs

Préparation : 20 minutes

10	œufs
100 g	de beurre
3 c. à s.	de mayonnaise
½ c. à c.	de sel marin
	Poivre blanc du moulin
20	ornements de poivron (p. 33)
20	feuilles de cerfeuil

1. *Cuire les œufs durs, les rafraîchir et les écaler. Les couper en deux dans le sens de la longueur et aplatir la partie bombée. Retirer les jaunes.*
2. *Réduire les jaunes en purée au mixeur, incorporer les autres ingrédients, battre, saler et poivrer.*
3. *Pousser la farce à consistance mousseuse à l'aide d'une poche à douille dentelée dans les moitiés vides et garnir d'un ornement de poivron et d'une feuille de cerfeuil.*

Pain et petit pain

Il n'est pas difficile de trouver le pain qui convient parmi les innombrables variétés. Sur les buffets, il est recommandé de présenter plusieurs sortes de pain : baguette, gruau, campagne, noir, complet. Les différentes variétés de petits pains sont aussi assez nombreuses, pour n'avoir que l'embarras du choix : petit pain aux graines de sésame, de tournesol, de pavot, au cumin ou aux noix. Compter 100 g de pain par personne.

1 **Quartiers :** cuire les œufs durs, les rafraîchir et les écaler. Les couper en six quartiers dans le sens de la longueur, manuellement ou avec un ustensile.

2 Confectionner une rosace. Poser une fleur ou une couronne de radis (p. 17/18) au centre et garnir de pluches d'herbes.

1 **Rondelles :** cuire les œufs durs, les rafraîchir et les écaler. Les couper en rondelles au coupe-œuf dans le sens de la longueur ou de la largeur.

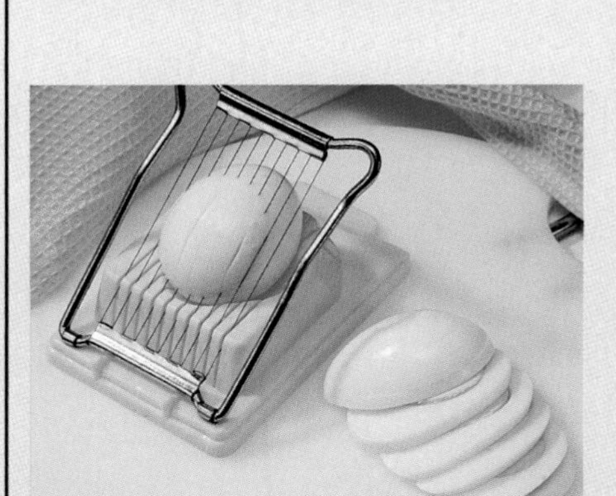

2 Faire chevaucher les rondelles alignées comme des tuiles et les garnir de motifs de tomate, de concombre et de poivron ou d'olives émincées et d'herbes.

1 **Ornements de blanc d'œuf :** cuire un œuf dur, le rafraîchir et l'écaler. Le couper en rondelles et retirer le jaune.

2 Confectionner des ornements de blanc d'œuf à l'emporte-pièce. Trouver un autre emploi pour le jaune.

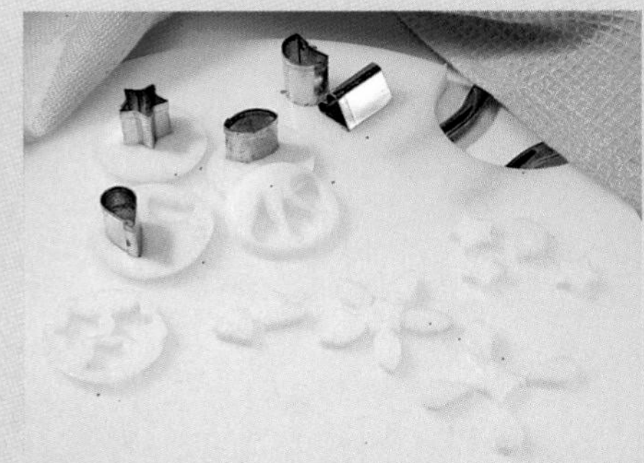

ŒUFS FARCIS

Les classiques de la fête, dans de nouvelles variations.

◆

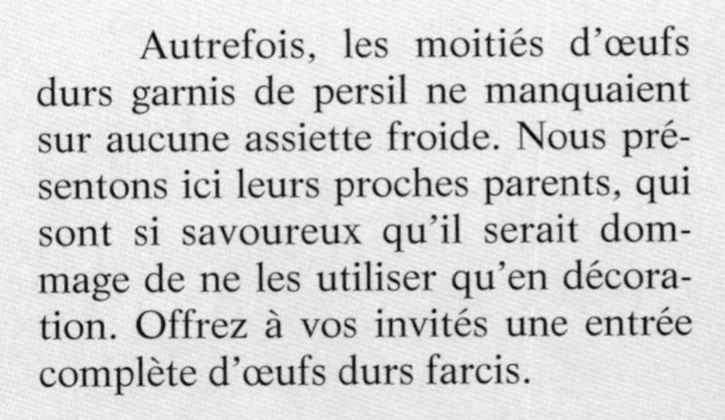

Autrefois, les moitiés d'œufs durs garnis de persil ne manquaient sur aucune assiette froide. Nous présentons ici leurs proches parents, qui sont si savoureux qu'il serait dommage de ne les utiliser qu'en décoration. Offrez à vos invités une entrée complète d'œufs durs farcis.

Toutes les recettes sont calculées pour 10 œufs durs. La farce des œufs de caille remplit même une douzaine d'œufs. Les œufs sont d'abord écalés, puis aplatis sur la partie bombée, afin qu'ils aient une assise stable. On pousse la farce sur les œufs à l'aide d'une poche à douille dentelée.

1 **Œufs de caille farcis :** ils constituent une excellente entrée.

Retirer le jaune et le mélanger avec 60 g de mayonnaise. Battre 80 g de beurre d'une consistance mousseuse, y incorporer le jaune d'œuf à la mayonnaise et assaisonner de worcestersauce. Saler et poivrer. Remplir les œufs avec la farce.

Couper 12 olives le long du noyau et garnir les œufs de moitiés d'olives et de feuilles de cerfeuil.

2 **Farce moutarde et aneth :** une combinaison classique qui n'a pas perdu en saveur.

Retirer le jaune et le mélanger avec 1 cuillère à café de moutarde de Dijon, 100 g de beurre et 2 cuillères à soupe de mayonnaise en une pâte fine. Saler et poivrer. Laver, éponger et réserver quelques pluches d'½ bouquet d'aneth pour la garniture. Hacher finement le reste et l'incorporer à la farce. Remplir les œufs avec la farce.

Garnir les œufs d'olives noires, de 100 g d'œufs de saumon et de pluches d'aneth.

3 **Farce au poivron :** au fromage frais et de saveur piquante.

4 **Petits bonshommes :** ils amusent tous les invités, pas seulement les enfants.

5 **Farce au cari :** avec une farce piquante adoucie d'ananas.

Détailler un poivron rouge pelé en menus morceaux et les mélanger avec les jaunes d'œuf et 100 g de fromage frais en une pâte fine. Saler et poivrer et remplir les œufs.

Découper un demi-poivron jaune pelé en petits losanges et garnir les œufs de losanges de poivron, de feuilles de basilic et d'œufs de lump.

Décalotter les œufs d'un côté, les aplatir de l'autre pour les faire tenir droits et retirer le jaune à la cuillère parisienne. Mélanger le jaune d'œuf avec 100 g de beurre ramolli, 3 cuillères à soupe de mayonnaise, du sel marin et confectionner une farce. Remplir les œufs à l'aide d'une poche à douille lisse et ronde.

Poser la calotte à l'oblique et imprimer dans la farce des lanières de poivron pour la bouche, des rondelles d'olive pour les yeux et des pluches d'aneth pour les cheveux.

Retirer le jaune d'œuf et le piler finement. Ajouter 150 g de beurre mou et 2 cuillères à café de pâte de cari. Saler au sel marin. Détailler la moitié d'une tomate pelée et épépinée en dés fins, l'incorporer et remplir les œufs.

Couper l'autre moitié en petits losanges et détailler un ananas en petits quartiers. Garnir les œufs de morceaux de tomate, d'ananas et de feuilles de coriandre.

PAIN ET PROFITEROLES

Voici une décoration de buffet originale, même si le pain, monté sur fil métallique, n'est pas comestible.

◆

Bouquet de petits pains

Les petits pains sont montés sur un fil métallique et incorporés à un bouquet de fleurs et de verdure. Notre bouquet est composé de chou d'ornement, de mille-feuille, d'hortensias et de lierre. On peut aussi y fixer des gousses de cannelle et de vanille sur fil métallique. Entourer le bouquet d'une feuille de papier cadeau fin de couleur. Confectionner une collerette et décorer de raphia. Présenter le bouquet dans un vase.

1 **Brochettes de pain :** couper du pain complet en tranches de 8 mm d'épaisseur et le tartiner de fromage frais aux fines herbes sur 4 mm. Recouvrir d'une deuxième tranche de pain, la tartiner de fromage frais au poivron et terminer par une troisième tranche.

1 Piquer des petites brochettes de fruits ou d'ornements potagers espacées de 2 cm les unes des autres. Enlever la croûte du pain et confectionner de petits canapés en coupant des carrés entre les brochettes.

PÂTE À CHOU

Ingrédients pour 30 profiteroles	
250 ml	de lait
1	pincée de noix de muscade, sel
60 g	de beurre
160 g	de farine
4	œufs

1. *Faire chauffer le lait, les épices et le beurre. Verser la farine et mélanger à la cuillère de bois jusqu'à obtention d'une boule se détachant du fond de la casserole. Laisser refroidir.*
2. *Incorporer les œufs un à un.*
3. *Coucher la pâte sur une plaque de four recouverte de papier sulfurisé à l'aide d'une poche à douille.*
4. *Cuire en bas du four préchauffé à 200 °C pendant 20 min. Les choux à remplir de farce doivent être immédiatement coupés. Laisser refroidir et remplir.* *(Recettes p. 81).*

Farce au fromage blanc

Ingrédients pour 30 profiteroles	
300 g	de fromage blanc
5 c. à s.	de fines herbes
1	gousse d'ail hachée
½ c. à c.	de sel marin
½ c. à c.	de poudre de paprika
1	feuille de gélatine
50 ml	de lait
3	blanc d'œuf

1. *Remuer le fromage blanc et le mélanger avec les herbes et l'ail. Saler et assaisonner de paprika.*
2. *Faire tremper la gélatine à l'eau froide, puis la dissoudre dans le lait chaud. Laisser refroidir.*
3. *Battre le blanc d'œuf mousseux, l'incorporer au fromage blanc et pousser dans les profiteroles.*

Mousse de saumon fumé

Ingrédients pour 30 profiteroles	
2	feuilles de gélatine
100 ml	de fumet de poisson
300 g	de saumon fumé
1 c. à c.	de pernod
	Sel marin
	Poivre du moulin
300 g	de chantilly fouettée

1. *Faire tremper la gélatine à l'eau froide, puis la dissoudre dans le fumet chaud. Laisser refroidir.*
2. *Hacher finement le saumon sans peau ni arêtes, ajouter le pernod et le fumet. Saler et poivrer. Passer au tamis et mettre au frais.*
3. *Incorporer la chantilly et pousser dans les profiteroles.*

1 **Ornements de pain :** découper des formes quelconques à l'emporte-pièce dans des tranches de pain (pain de mie, pain complet, pain bis, pumpernickel) de 1 cm d'épaisseur.

2 Le pain de mie peut être toasté. Dresser le pain en garniture ou sur des brochettes de pain (p. 80).

1 **Cygne en pâte à chou :** coucher des points d'interrogation épais à une extrémité avec un tiers de pâte, et le reste en profiteroles.

2 Retirer les cous du four 5 min avant la fin de cuisson. Couper le couvercle des profiteroles en deux et poser les deux moitiés de part et d'autre de la farce en guise d'ailes.

Garnitures de profiteroles

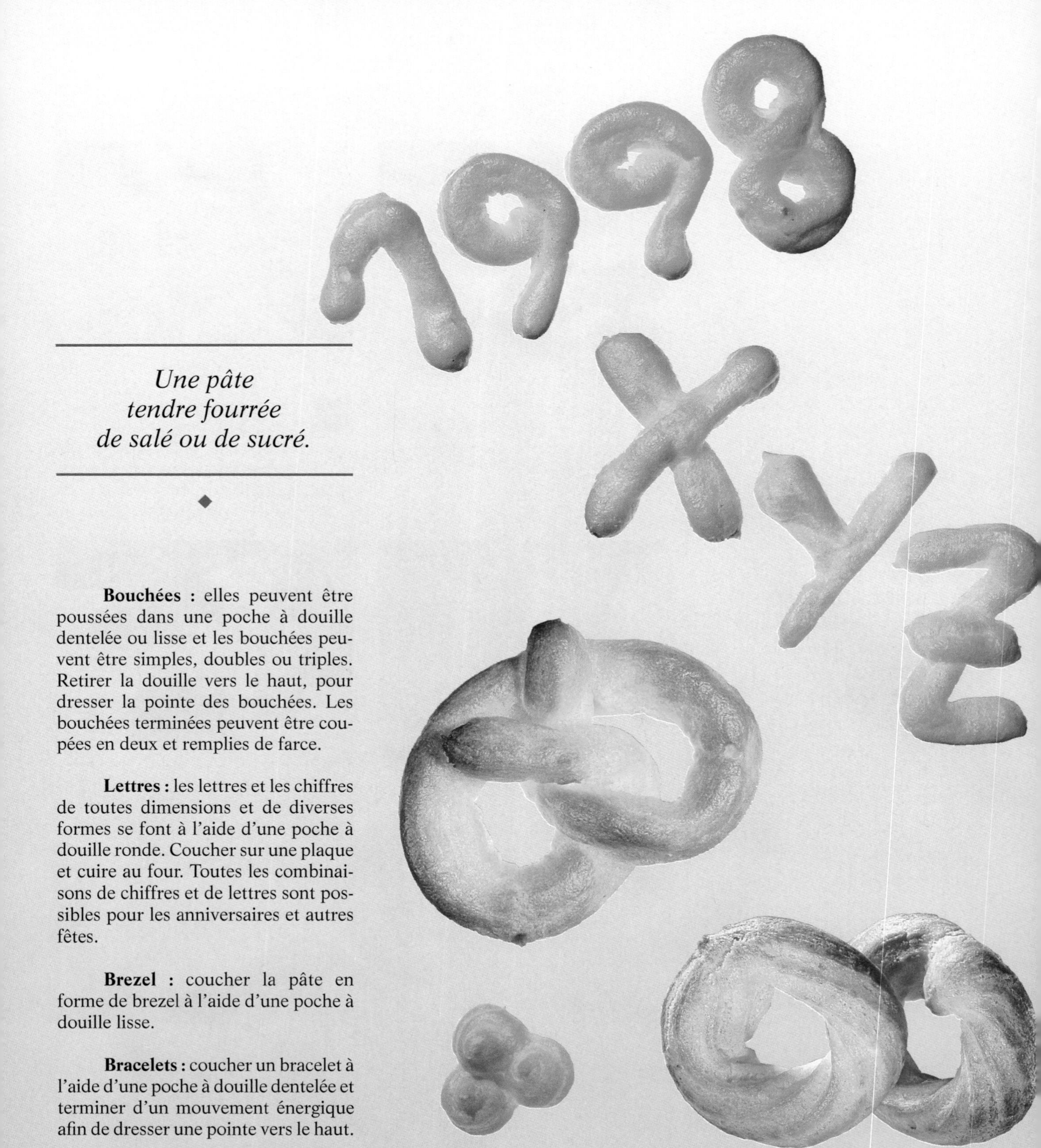

Une pâte tendre fourrée de salé ou de sucré.

◆

Bouchées : elles peuvent être poussées dans une poche à douille dentelée ou lisse et les bouchées peuvent être simples, doubles ou triples. Retirer la douille vers le haut, pour dresser la pointe des bouchées. Les bouchées terminées peuvent être coupées en deux et remplies de farce.

Lettres : les lettres et les chiffres de toutes dimensions et de diverses formes se font à l'aide d'une poche à douille ronde. Coucher sur une plaque et cuire au four. Toutes les combinaisons de chiffres et de lettres sont possibles pour les anniversaires et autres fêtes.

Brezel : coucher la pâte en forme de brezel à l'aide d'une poche à douille lisse.

Bracelets : coucher un bracelet à l'aide d'une poche à douille dentelée et terminer d'un mouvement énergique afin de dresser une pointe vers le haut.

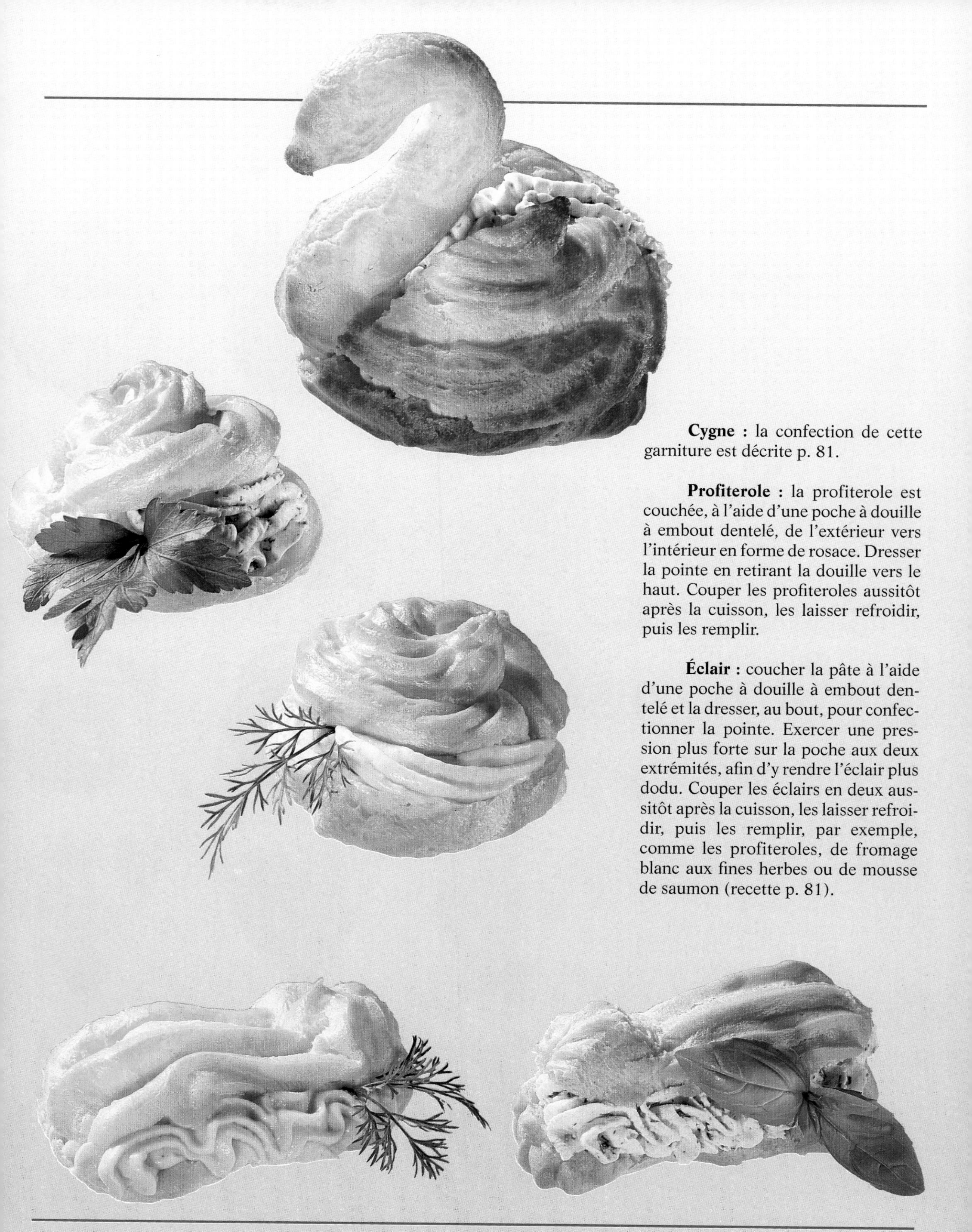

Cygne : la confection de cette garniture est décrite p. 81.

Profiterole : la profiterole est couchée, à l'aide d'une poche à douille à embout dentelé, de l'extérieur vers l'intérieur en forme de rosace. Dresser la pointe en retirant la douille vers le haut. Couper les profiteroles aussitôt après la cuisson, les laisser refroidir, puis les remplir.

Éclair : coucher la pâte à l'aide d'une poche à douille à embout dentelé et la dresser, au bout, pour confectionner la pointe. Exercer une pression plus forte sur la poche aux deux extrémités, afin d'y rendre l'éclair plus dodu. Couper les éclairs en deux aussitôt après la cuisson, les laisser refroidir, puis les remplir, par exemple, comme les profiteroles, de fromage blanc aux fines herbes ou de mousse de saumon (recette p. 81).

Les canapés

L'accompagnement parfait du verre de champagne.

◆

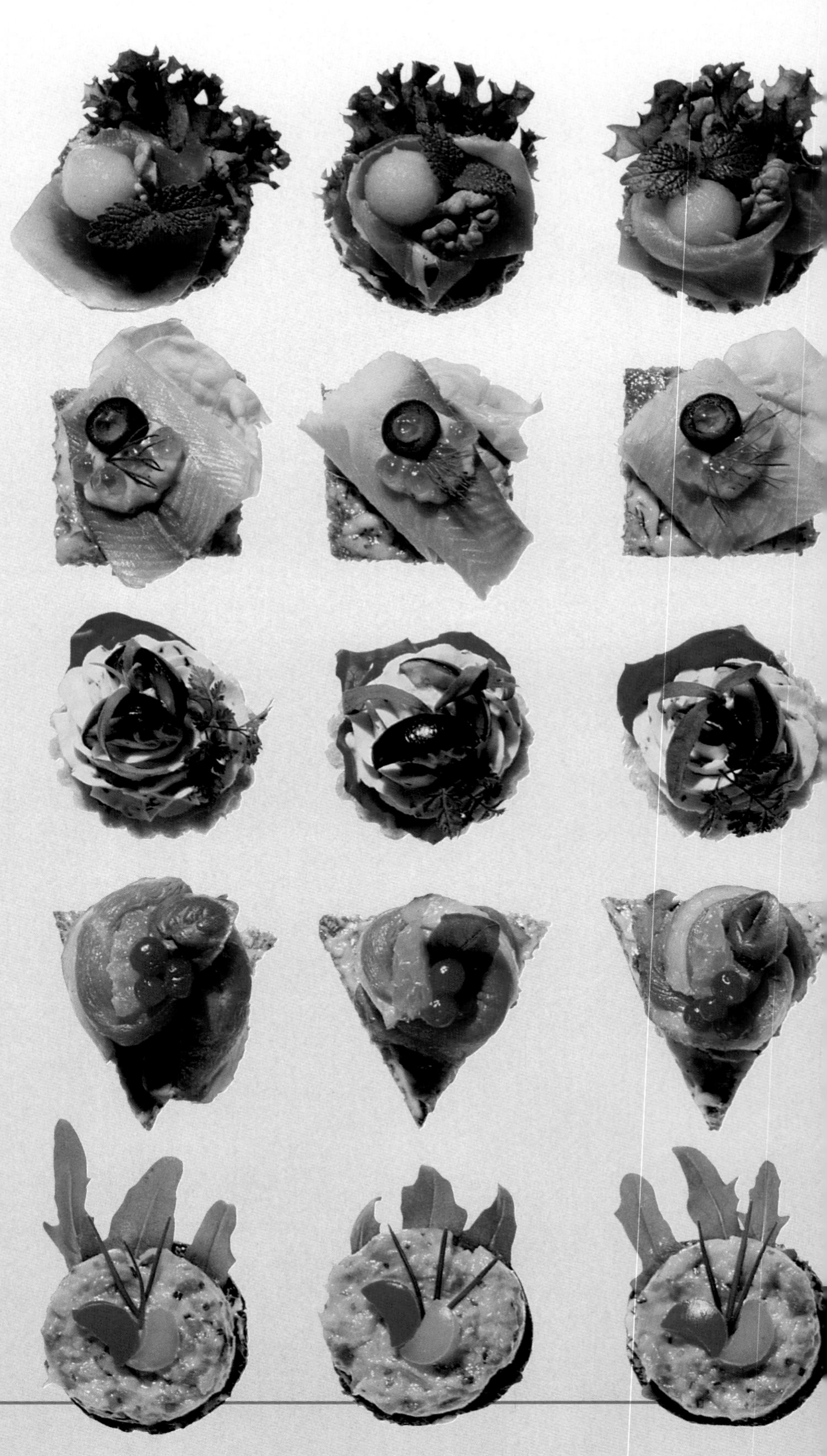

Les recettes suivantes sont calculées pour dix canapés.

Jambon de Parme et melon : prélever dix disques de 4 cm de diamètre dans cinq tranches de pain aux noix. Assaisonner 50 g de beurre avec 8 feuilles de citronnelle hachée, sel et poivre et tartiner le pain. Laver et essuyer deux feuilles de lollo rossa et en tapisser les canapés. Confectionner 10 roses de jambon de Parme, détailler un huitième de melon jaune canari en petits morceaux. Recouvrir les canapés de jambon de Parme et de melon. Garnir de cerneaux de noix et de citronnelle.

Filets de truites sur pain complet : mélanger 50 g de mayonnaise avec 1 cuillère à café de raifort râpé et de l'aneth. Couper le pain complet en carrés de 4 cm de côté et tartiner de 50 g de mayonnaise. Laver, éponger et casser deux feuilles de laitue. Les répartir sur les canapés. Détailler 2 filets de truite fumée en dix morceaux et les poser sur la salade. Dénoyauter 5 olives noires et les couper en morceaux. Garnir les canapés d'olives, de 50 g d'œufs de truite et de 10 petits bouquets d'aneth.

Canapés de tournesol aux fines herbes : prélever dix disques de 4 cm de diamètre dans cinq tranches de pain aux graines de tournesol et les beurrer. Laver et essuyer trois feuilles de chicorée de Trévise et tapisser le pain. Mélanger 200 g de fromage frais

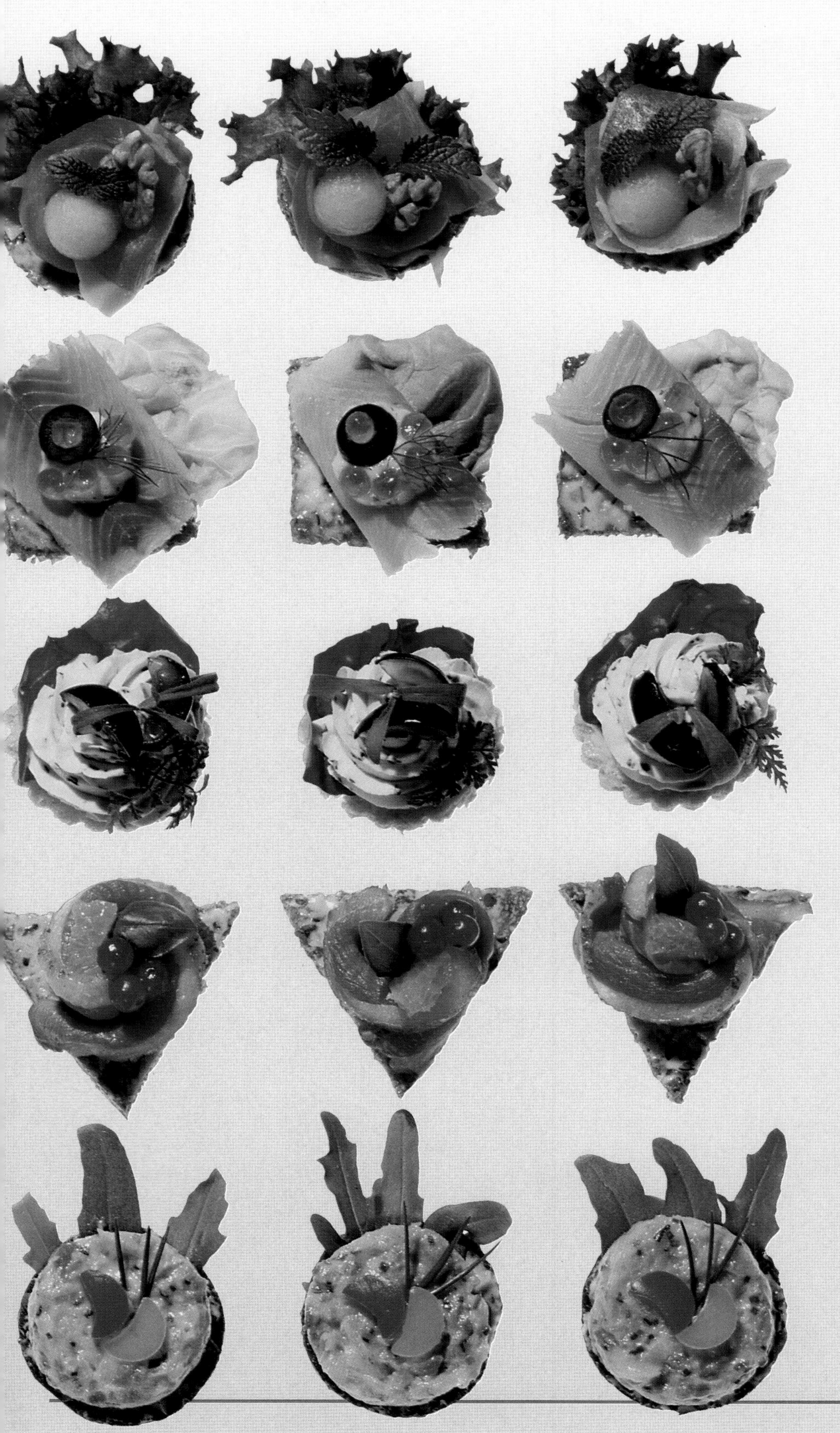

double crème avec 4 cuillères à soupe d'herbes hachées (thym, basilic, estragon, cerfeuil) et pousser des noix de fromage blanc sur la salade à l'aide d'une poche à douille. Couper cinq raisins noirs en deux, les épépiner et les couper une nouvelle fois en deux. Garnir les canapés de raisin et de feuilles d'estragon et de cerfeuil.

Canapés de sésame au magret de canard : saler et poivrer deux magrets de canard avec leur peau, les faire revenir dans 2 cuillères à soupe d'huile d'olive d'abord côté peau, puis de l'autre côté. Enduire la peau d'1 cuillère à soupe de miel et cuire 5 min au four préchauffé à 150 °C. Laisser refroidir. Mélanger 50 g de beurre avec 2 cuillères à soupe de feuilles de basilic haché, saler et poivrer. Prélever des triangles de 4 cm de côté dans cinq tranches de pain aux graines de sésame et les beurrer. Couper les magrets en tranches et disposer deux tranches sur chaque canapé. Garnir les canapés avec dix quartiers d'orange, 2 cuillères à soupe d'airelles en bocal et des feuilles de basilic.

Canapés de pumpernickel au tartare de hareng : couper quatre filets de harengs marinés au sel en petits dés et les mélanger avec 100 g de crème fraîche et 2 cuillères à soupe de ciboulette ciselée. Prélever des disques de 4 cm de diamètre dans trois tranches de pumpernickel et les beurrer. Recouvrir chaque disque de roquette et répartir le tartare de hareng. Garnir chaque canapé de deux ornements de poivron et de deux brindilles de ciboulette.

Le sucré

Ce chapitre
vous emmène
au pays de cocagne,
sur une route
d'ornements
les plus divers,
de la simple
couverture de
chocolat à la rosace
de crème au beurre,
et des desserts
les plus légers
à la tarte d'apparat
confectionnée
avec amour.

◆

SCHWARTAU

Couverture et pâte d'amande

Pour la pâtisserie fine, n'utiliser que des ingrédients de qualité.

◆

Couverture

Le glaçage des entremets au chocolat est très utilisé en pâtisserie. Le produit idéal pour glacer les aliments au chocolat est la couverture de chocolat, principalement destinée au moulage ou à l'enrobage de toutes sortes de produits de pâtisserie et de confiserie et qui existe au lait, de couleur foncée et blanche. Elle est faite de chocolat contenant une proportion plus élevée de beurre de cacao, ce qui abaisse son point de fusion et le rend plus fondant. La couverture blanche ne contient pas de cacao, mais en revanche plus de beurre de cacao et du lait ou de la crème. Elle ne durcit pas aussi bien. Cet inconvénient peut se compenser. Il suffit d'en utiliser 10 % de plus ou d'ajouter un peu de beurre au chocolat fondu.

La couverture se fait toujours chauffer au bain-marie, afin de bien pouvoir contrôler la température et d'empêcher qu'elle attache ou brûle. Il est en outre très important de veiller à une propreté absolue des ustensiles de cuisine utilisés.

Couper d'abord la couverture de chocolat en morceaux si possible de la même grosseur à l'aide d'un grand couteau bien aiguisé, puis la mettre dans une casserole sur un bain-marie.

1 **Cigarettes en chocolat :** faire fondre de la couverture de chocolat et la verser en couche fine sur le marbre. La travailler à la spatule pour la rendre onctueuse et la faire refroidir.

2 Quand le chocolat a atteint une consistance un peu solide, l'étaler à la spatule en couche fine sur le marbre et le laisser refroidir.

3 Quand il est refroidi, racler en poussant avec précaution la palette à enduire et confectionner les cigarettes.

La température idéale pour faire fondre le chocolat est de 31 °C, elle ne doit cependant jamais être supérieure à 33 °C. On obtient la bonne température avec un bain-marie de 40 °C, dans lequel on peut encore tremper la main. Si, par inadvertance, on a trop fait chauffer le chocolat, on le refroidit en ajoutant des morceaux de couverture encore solides. Mais ne mettre en aucun cas le chocolat dans un bain-marie froid pour le faire refroidir.

Le truc du cuisinier : pour rendre plus brillantes et attrayantes les pâtisseries dites « miroir », laisser refroidir complètement le glaçage, puis le réchauffer une deuxième fois.

Pâte d'amande

Ses emplois en pâtisserie sont très variés, en particulier pour décorer ou recouvrir nombre de gâteaux, pour masquer gâteaux et petits-fours, farcir des fruits secs ou confectionner des ornements. Celle que l'on trouve dans le commerce se compose des deux tiers de pâte d'amande et d'un tiers de sucre. Elle doit être additionnée avant l'emploi de la moitié de sa quantité de sucre glace tamisé, puis pétrie (100 g de pâte d'amande avec 50 g de sucre glace). La laisser ensuite reposer 15 min.

Nous partons, dans les indications qui suivent, de la pâte d'amande déjà additionnée de sucre.

La pâte d'amande ne se conserve que très peu de temps dans un film transparent ou dans un sac en plastique, car elle sèche très vite. Le plan de travail idéal pour la pâte d'amande est le marbre. La pâte d'amande s'utilise le plus souvent aromatisée avec un alcool blanc, se parfume à l'eau de rose ou à l'eau de fleur d'oranger, et se décline en blanc, en rose, en vert pâle, en brun ou en jaune. Bien pétrir tous les ingrédients pour les répartir uniformément.

1 **La poche en papier :** plier en diagonale une feuille de papier sulfurisé de 20 x 35 cm et la couper à la pliure. Superposer le côté le plus étroit du triangle obtenu sur l'angle droit. Rabattre la pointe vers l'intérieur et enrouler la poche.

2 Couper un tout petit trou aux ciseaux à la pointe. Remplir la poche de couverture liquide. Fermer le bord supérieur. Cette poche en papier permet de confectionner les motifs les plus fins.

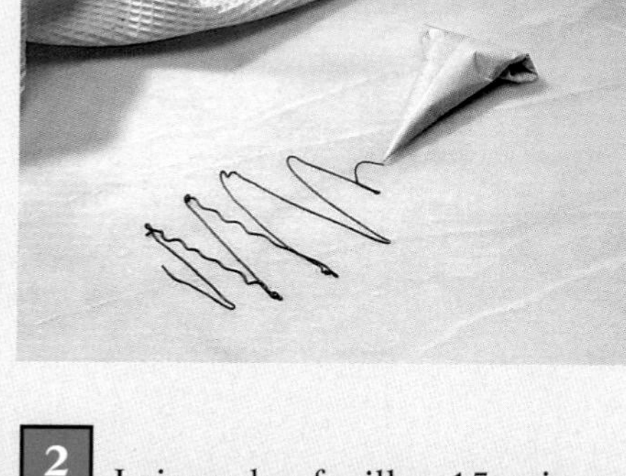

1 **Feuilles en couverture :** éponger les feuilles d'une plante ferme et les mettre au réfrigérateur. Enduire les feuilles froides de couverture.

2 Laisser les feuilles 15 min au réfrigérateur. Retirer ensuite les feuilles vertes de la couverture sèche.

1 **Roses de pâte d'amande :** pour une rose de 3 cm de diamètre, pétrir 40 g de pâte d'amande avec un colorant. Confectionner des boules, puis un cône pour le centre.

2 Aplatir les autres boules. Disposer les feuilles autour du pistil et faire adhérer en appuyant. Aplatir la partie inférieure de la rose.

Le filigrane
en pâtisserie fine.

◆

Couverture à l'emporte-pièce : étaler la couverture sur le marbre et la laisser légèrement durcir (p. 88). Plonger les emporte-pièces dans de l'eau chaude et les essuyer. Découper les motifs dans le chocolat et dégager aussitôt les ornements de l'emporte-pièce.

Ornements de couverture : les ornements très fins peuvent être confectionnés à la poche en papier (p. 89). Plus la pointe coupée dans la poche est petite, plus on obtient de la finesse dans l'ornement. Dessiner l'ornement désiré au crayon sur une feuille de papier blanc et poser le papier sulfurisé dessus. Calquer le dessin à la couverture.

Cigarettes et feuilles de couverture : leur confection est décrite et illustrée en détail p. 88/89.

Éventails de couverture : étaler la couverture sur le marbre et la laisser légèrement durcir (p. 88). Racler en poussant la palette à enduire en forme de quart de cercle en faisant contre-pression du doigt sur le bout étroit de l'éventail.

Conseil du chef : toutes les garnitures en couverture se conservent deux à trois semaines dans une boîte en métal à une température de 10 à 15 °C. Intercaler du papier sulfurisé entre les couches.

GARNITURES DE PÂTE D'AMANDE

De la ménagerie
à la corbeille de fruit,
tout est en pâte d'amande.

◆

Ornements : faire une abaisse de pâte d'amande colorée de 3 mm d'épaisseur sur un marbre saupoudré de sucre glace. Découper des motifs à l'emporte-pièce ou des formes géométriques au couteau.

Feuilles et roses : la confection des roses est décrite p. 89. Pour les feuilles, pétrir de la pâte d'amande avec un colorant vert. Faire une abaisse de 3 mm d'épaisseur sur un marbre saupoudré de sucre glace. Découper des feuilles au couteau ou préparer un patron en papier fin et le poser sur la pâte.

Petits cochons : il faut 120 g de pâte d'amande par cochon. Pour le corps, confectionner un gros cône avec 90 g de pâte d'amande. Aplatir la pointe au couteau et encocher le groin. Enfoncer les narines avec une pointe, une aiguille à tricoter, par exemple. Confectionner de petites boules pour les oreilles et les aplatir de la grosseur d'un ongle. Pour les pattes, enrouler un tuyau de la grosseur d'un crayon à papier et le couper en quatre tronçons de 2 cm de long. Confectionner une queue en tire-bouchon. Enduire les pattes, la queue et les oreilles de glaçage au sucre et les faire respectivement adhérer au corps. Faire deux yeux en glaçage blanc au sucre et appliquer les pupilles en couverture.

Fruits : pour une banane, pétrir un colorant jaune avec de la pâte d'amande et lui donner la forme d'une banane. Aplatir six côtés à la palette. Dessiner les arêtes avec du cacao mélangé dans de l'eau à l'aide d'un pinceau très fin. On peut confectionner toute une corbeille de fruits en pâte d'amande.

Lièvre : pétrir env. 140 g de pâte d'amande avec un colorant brun. Confectionner une goutte pour la tête, l'inciser du côté pointu dans le sens de la longueur et modeler les oreilles de part et d'autre. Modeler une pointe devant pour le nez. Confectionner le corps dans un rouleau, l'inciser à l'avant et à l'arrière pour les pattes. Les pieds sont arrondis et façonnés au couteau à pâte à modeler. Pour la queue, aplatir une petite boule et la faire adhérer à l'arrière du corps. Apposer la tête. Pousser, pour les yeux, un glaçage de sucre sur la tête et pour les pupilles, de la couverture.

Éléphant : pétrir env. 180 g de pâte d'amande avec du caramel et un colorant blanc, pour obtenir un gris clair. Confectionner la tête en forme de massue, rouler une trompe. Façonner deux oreilles avec deux feuilles de pâte d'amande. Confectionner les défenses dans de la pâte d'amande blanche et les faire adhérer à la tête à l'aide de la pointe d'un couteau à modeler. Encocher la trompe en travers. Façonner une saucisse pour le corps. Inciser les extrémités dans le sens de la longueur, confectionner les pattes de part et d'autre et les faire prendre appui sur un double U à l'envers. Fixer la tête au corps avec un glaçage blanc. Faire les yeux avec un glaçage au sucre et de la couverture de chocolat. Confectionner une queue et la fixer.

Glaçage au sucre et crème au beurre

Tartes, gâteaux et entremets tentants.

◆

Glaçage au sucre

Le glaçage au sucre consiste à recouvrir le dessus d'un gâteau d'une couche de fondant, de glace de sucre cru, de glace à l'eau, éventuellement parfumée ou colorée. Le glaçage des fruits ou des petits-fours se fait en trempant ceux-ci dans du sucre cuit au cassé, pour les enrober d'une couche brillante et dure. Il est décoratif et empêche que la pâtisserie sèche. Le glaçage s'achète aussi tout fait chez le pâtissier. Une tarte nécessite 700 g de glaçage. Le glaçage au sucre ne doit pas être élevé à une température supérieure à 33 °C, car il perdrait son brillant et cristalliserait en refroidissant. On le confectionne à 40 °C au bain-marie.

Les surfaces de gâteaux rugueuses se recouvrent d'abord d'une fine couche de pâte d'amande que l'on badigeonne de confiture d'abricot avant d'y étaler le glaçage au sucre.

Glaçage blanc à pousser dans une poche à douille

Il est facile à réaliser. Mélanger 300 g de sucre glace tamisé avec un peu de blanc d'œuf et de jus de citron, afin d'obtenir un liquide visqueux. Ce glaçage est plus liquide que le glaçage au sucre. Il sert à pousser les ornements désirés directement sur le gâteau ou sur du papier sulfurisé (p. 95) à l'aide d'une poche en papier. Les motifs complexes à réaliser peuvent se dessiner au crayon sur du papier blanc et être calqués sur du papier sulfurisé.

Le glaçage se colore. Mais on trouve aussi dans le commerce des tubes de différentes couleurs spécialement faits pour l'écriture sur les gâteaux.

Crème au beurre

La crème au beurre ne sert pas seulement à fourrer les tartes et les gâteaux mais est aussi utilisée dans les entremets et pour fourrer les petits-fours. On obtient des crèmes de saveur et de couleur différentes en mélangeant à la recette de base (p. 95) les ingrédients suivants :

- Crème au safran :
  3 pincées de poudre de safran dissoute dans 3 cuillères à soupe d'eau chaude ;
- Crème de noisette :
  80 g de concentré de noisette ;
- Crème au beurre de cacao :
  50 g de poudre de cacao ;
- Crème de café :
  3 cuillères à soupe de poudre de café soluble dissoutes dans 100 ml d'eau chaude ;
- Crème de fruits :
  5 cuillères à soupe d'extrait de fruits.

Les spiritueux, comme le grand marnier, le curaçao, le kirsch et la williams aromatisent aussi les crèmes. 2 cuillères à soupe suffisent généralement.

Afin que la crème au beurre ne coagule pas, les aromatisants doivent être à température ambiante, avant d'être incorporés. Les ingrédients liquides doivent être incorporés goutte à goutte.

Recette de base de la crème au beurre

Ingrédients pour 1 gâteau de 28 cm de diamètre	
Cuisson : 20 minutes	
350 g	de beurre à température ambiante
4	œufs
150 g	de sucre
1 c. à c.	de sucre vanillé

1. *Battre le beurre jusqu'à obtention d'une crème mousseuse à la consistance crémeuse et onctueuse.*
2. *Battre les œufs avec le sucre et le sucre vanillé au bain-marie jusqu'à obtention d'une crème épaisse et mousseuse.*
3. *Retirer la crème du bain-marie et continuer à battre jusqu'à ce qu'elle ait refroidi à température ambiante. Incorporer peu à peu les œufs au beurre.*

1 **Ornements au sucre :** calquer à la poche en papier les ornements dessinés au crayon sur une feuille de papier blanc. Le glaçage doit être visqueux.

2 Laisser sécher les ornements pendant 24 heures sur le papier sulfurisé. Les décoller ensuite avec précaution au couteau.

1 **La poche à douille :** rabattre la poche de moitié à l'extérieur et la remplir de crème au beurre.

2 Remonter la poche, la tourner pour bien tasser le contenu et pousser la crème vers le bas.

1 **Réaliser un glaçage au sucre :** placer le gâteau sur une grille et verser la glace de sucre. Étaler la glace avec la spatule.

2 **Lignes :** coucher, à l'aide d'une poche en papier, des lignes parallèles de glace dans des couleurs contrastantes sur le glaçage au sucre encore tendre.

3 **Petits-fours :** disposer des petits-fours sur une grille et les napper de glaçage ou les y plonger.

GARNITURES DE CRÈME AU BEURRE

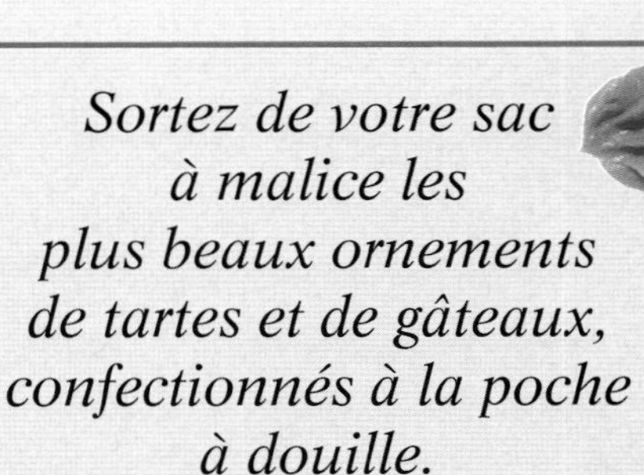

Sortez de votre sac à malice les plus beaux ornements de tartes et de gâteaux, confectionnés à la poche à douille.

◆

Pour les garnitures de crème au beurre montrées ici, qui peuvent d'ailleurs également être confectionnées à la chantilly, il faut, outre la poche à douille, un embout lisse et plusieurs embouts dentelés de différentes dimensions. Plus la perforation de l'embout est petite, plus la décoration est fine.

Il est important de ne pas travailler avec des mouvements saccadés, mais d'exercer une pression régulière sur la poche. Faites un essai sur un plan de travail, avant de vous lancer dans la décoration d'un gâteau.

Tous les ornements sont dérivés des quelques formes de base suivantes :

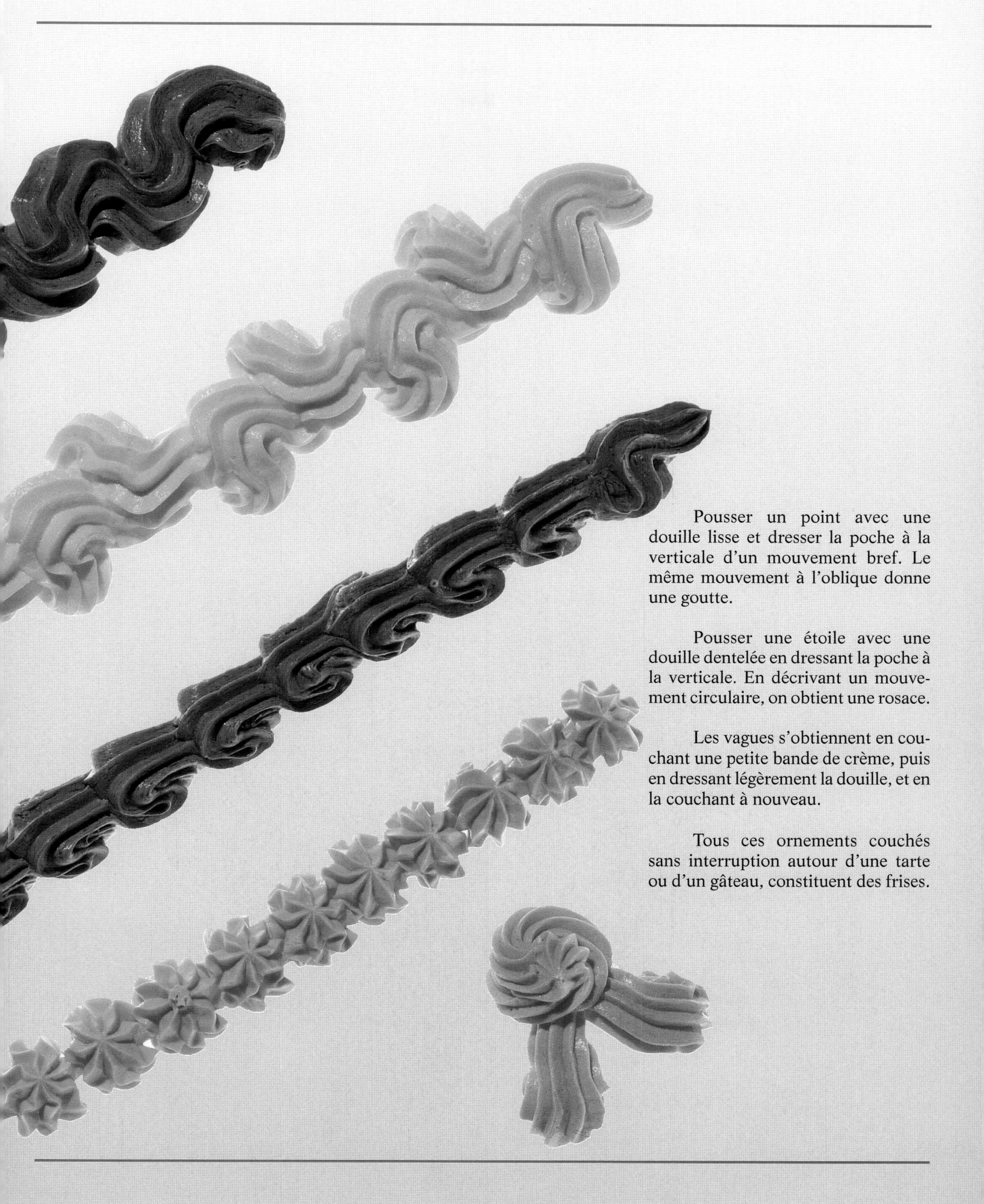

Pousser un point avec une douille lisse et dresser la poche à la verticale d'un mouvement bref. Le même mouvement à l'oblique donne une goutte.

Pousser une étoile avec une douille dentelée en dressant la poche à la verticale. En décrivant un mouvement circulaire, on obtient une rosace.

Les vagues s'obtiennent en couchant une petite bande de crème, puis en dressant légèrement la douille, et en la couchant à nouveau.

Tous ces ornements couchés sans interruption autour d'une tarte ou d'un gâteau, constituent des frises.

Garnitures de gâteaux

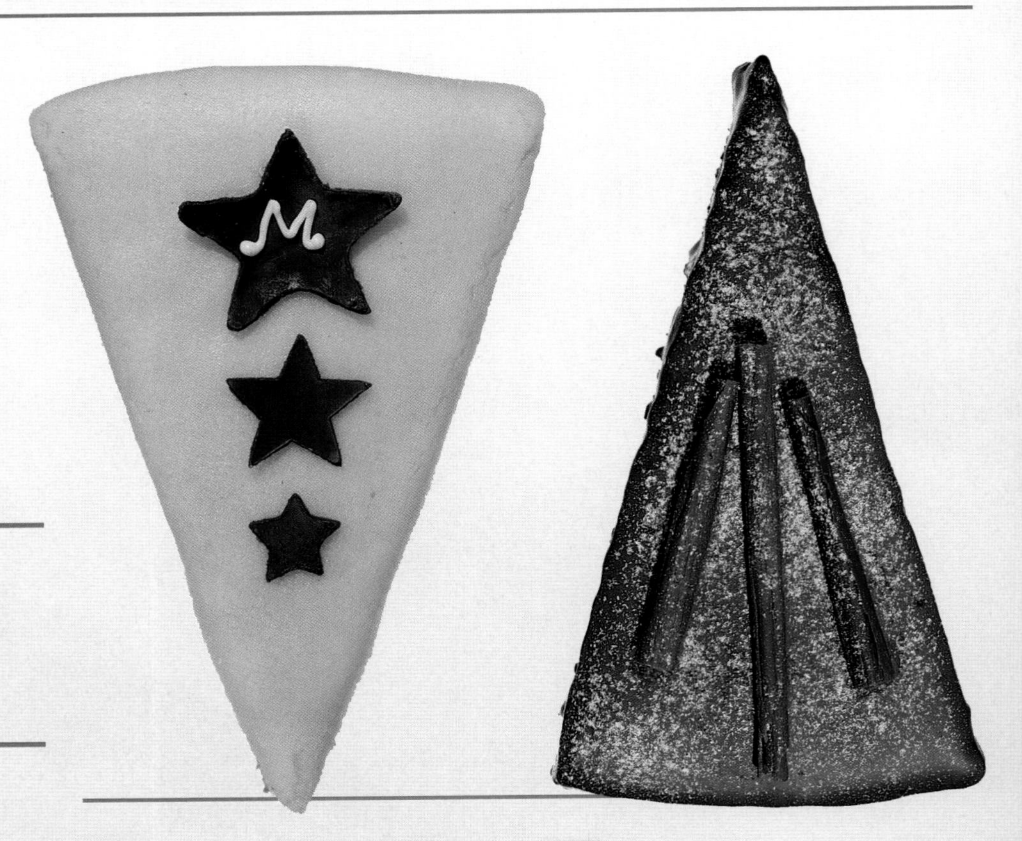

Les classiques
de la pâtisserie
bien décorés,
et bien savoureux.

◆

Nous faisons ici la démonstration de diverses garnitures, pour des gâteaux à base de pâte à biscuit (p. 141), qu'il est possible de fourrer avec une crème au beurre (p. 95), de la chantilly et des fruits ou du concentré de fruit. La chantilly a une meilleure tenue si on l'additionne de gélatine dissoute et la met au réfrigérateur avant de la fouetter. Il faut compter quatre feuilles de gélatine pour 500 g de chantilly.

Pour un enrobage de pâte d'amande, faire avec 500 g de pâte d'amande une abaisse d'un diamètre de 5 cm de plus que celui du moule, plus deux fois sa hauteur. Pour un moule de 28 cm de diamètre et de 8 cm de haut, par conséquent, une abaisse de 49 cm de diamètre. Enrober le gâteau à l'aide du rouleau à pâtisserie et appuyer pour bien faire adhérer.

L'enrobage de glaçage au sucre est démontré p. 95.

1 **Pour un anniversaire :** confectionner des ornements de couverture avec la première lettre du nom de la personne.

Enrober le gâteau de pâte d'amande ou de chocolat. Découper pour chaque part de gâteau trois étoiles de grosseur différente dans du chocolat de couverture amer. Pousser sur la plus grosse étoile une lettre de chocolat blanc. Décorer le gâteau d'étoiles.

2 **Effets spéciaux sur gâteau au chocolat :** cigarettes en chocolat avec un voile de sucre glace.

Enrober le gâteau d'un glaçage au chocolat. Confectionner les cigarettes (p. 88) et les disposer en étoile sur le gâteau avec deux cure-dents. Manipuler les cigarettes avec les cure-dents pour éviter qu'elles fondent. Saupoudrer de sucre glace avant de servir.

3 **Tarte Rübli, le classique suisse :** décorée ici avec des lièvres au lieu de carottes.

4 **Charlotte au chocolat** : le papillon l'allège.

5 **Décoration de charlotte :** aux fruits avec des fraises et des feuilles en chocolat de couverture.

Enrober la tarte de pâte d'amande (p. 98) ou d'un glaçage blanc (p. 95). Poser sur chaque part de gâteau un lièvre (p. 93) et une feuille de pâte d'amande. Si vous manquez de temps, achetez des lièvres industriels dans les accessoires de pâtisserie.

Enduire la charlotte de mousse au chocolat et la décorer à l'aide d'une poche en papier. Confectionner pour chaque morceau de gâteau un papillon en chocolat. Faire sécher les papillons à l'envers (ailes en haut) sur une caissette à œufs. Décorer le gâteau avec les papillons.

Enduire le gâteau de crème et faire adhérer des copeaux de chocolat sur le bord. Confectionner une feuille en chocolat par part de gâteau. Tremper les fraises en les tenant par la queue dans du chocolat fondu et encore liquide jusqu'à la moitié de leur hauteur et les laisser sécher sur une grille. Garnir le gâteau d'une noix de chantilly, de feuilles en chocolat et de fraises.

Garnitures de gâteaux

Les plus belles robes de gâteaux roses, blanches, crèmes, chocolat.

◆

Décoration d'un gâteau au chocolat : fourrer un gâteau à base de pâte à biscuit de crème au chocolat. Glacer le gâteau avec un fondant jaune clair au safran (p. 94). Décorer avec un gros cœur en chocolat de couverture amer (p. 88). Écrire le nom en chocolat blanc à l'aide d'une poche en papier sulfurisé. Placer le gros cœur légèrement en biais sur un tuf de crème fraîche. Pousser un tuf de chantilly sur chaque part de gâteau et les coiffer en alternance de petits cœurs de chocolat au lait et de chocolat foncé.

Décoration d'un gâteau à la framboise : fourrer un gâteau à base de pâte à biscuit de crème au beurre à la framboise et de framboises. Glacer le gâteau à la crème au beurre à la framboise. Décorer le gâteau à l'aide d'une poche à douille à embout rond et lisse, de cygnes en crème au beurre blanche nageant sur des serpentins en crème au beurre bleue en guise d'étang. Confectionner le travail de détail (bec, yeux et ailes) en chocolat de couverture poussé dans une poche en papier sulfurisé.

Décoration d'un gâteau à la fraise : fourrer un gâteau à base de pâte à biscuit de crème au beurre à la fraise et de fraises.

Réaliser un glaçage de crème au beurre claire. Confectionner quelques roses de pâte d'amande colorée (p. 88). Pousser sur le gâteau des tiges de rose de crème au beurre verte. Poser une rose sur chaque tige. Confectionner une guirlande de crème au beurre à la fraise sur le pourtour et décorer d'ornements en chocolat.

Décoration d'un gâteau au chocolat : cette décoration est faite pour un gâteau fourré de crème au beurre au chocolat à base de pâte à biscuit. Glacer le gâteau de chocolat de couverture au lait, puis confectionner le motif de losanges à la crème au beurre au chocolat (p. 94) en poussant en alternance des raies lisses et des raies dentelées, à l'aide d'une poche à douille à embouts, l'un dentelée, l'autre lisse. Décorer chaque losange d'un grain de café.

Décoration d'un gâteau aux noix : cette décoration est faite pour un gâteau fourré de crème au beurre aux noix à base de pâte à biscuit. Enrober le gâteau de pâte d'amande (p. 98), puis confectionner la clé de sol et la portée au chocolat noir de couverture à l'aide d'une poche en papier sulfurisé. Pour les amateurs de musique, un beau cadeau !

Décoration d'un gâteau à la crème au beurre au chocolat : enrober un gâteau à base de pâte à biscuit fourré de crème au beurre au chocolat, de la même crème. Confectionner des serpentins de crème au beurre non colorée à l'aide d'une poche à douille dentelée.

Petits-fours

Des friandises qui exigent le sens du décor en miniature.

◆

Ils sont taillés dans un fond de génoise et se préparent de la façon suivante : mélanger six œufs avec 120 g de sucre et 1 cuillère à café de sucre vanillé sur un bain-marie et remuer jusqu'à obtention d'une crème blanche épaisse et mousseuse. Retirer le récipient du bain-marie et continuer à battre jusqu'à ce que la crème soit refroidie. Tamiser 80 g de farine et 60 g de fécule et incorporer le mélange peu à peu dans la crème aux œufs. Recouvrir une plaque de four de papier sulfurisé et la tapisser de crème sur une épaisseur de 6 mm. Cuire au four préchauffé à 200 °C pendant 15 min. Renverser dès la sortie du four sur une feuille de papier sulfurisé saupoudrée d'une fine couche de sucre.

Découper la pâte refroidie en trois plaques de même dimension. Badigeonner deux plaques de confiture d'abricot, superposer les trois plaques, et les laisser reposer une journée, alourdies d'un poids (par exemple une plaque de four). Les découper ensuite en bouchées carrées, triangulaires, rondes, rectangulaires ou en losanges. L'imagination n'a pas de limites.

Les petits-fours sont mis ensuite sur une grille et glacés (p. 95). On les décore une fois que le glaçage (simple ou double) est sec. La finesse de l'ornement s'obtient à la poche en papier sulfurisé, dans laquelle on pousse le chocolat, le sucre, la crème etc. Voici quelques idées de garniture :

• Petits-fours avec un ornement de chocolat de couverture et de perles de sucre.

• Petits-fours avec morceau d'ananas candi et un ornement de chocolat de couverture.

• Petits-fours avec une fleur de glace colorée et de chocolat de couverture.

• Petits-fours glacés de différentes couleurs, avec un ornement de chocolat de couverture.

• Petits-fours avec un ornement en flèche et une perle en argent.

• Petits-fours avec une cerise candie verte et une spirale en chocolat de couverture.

• Petits-fours avec des lignes ondulées en chocolat de couverture et un grain de café en chocolat.

• Petits-fours avec une demi-cerise candie et des lignes de chocolat de couverture en diagonale.

• Petits-fours avec une lettre glacée en couleur et de la gelée verte.

TARTELETTES AUX FRUITS

Des desserts sucrés et fruités pour le buffet ou la table.

◆

On utilise pour ces tartelettes la recette de l' « apéritif au champagne » de la p. 127. Selon la taille des moules, la quantité de pâte est indiquée pour 24 tartelettes de 5 cm de diamètre ou 12 tartelettes de 8 cm de diamètre. La présentation sera plus séduisante si l'on prend des moules de différentes formes. La combinaison des variétés de fruits devra prendre en compte l'offre saisonnière et le jeu des couleurs.

Les tartelettes de pâte brisée et de pâte à biscuit se confectionnent de la façon suivante : enduire une abaisse de pâte brisée d'un peu de confiture d'abricot ou de fraise et la recouvrir d'une fine couche de pâte à biscuit. La découper, avec les moules ou au couteau, en tartelettes carrées, triangulaires, rondes ou en losanges. Les chemiser d'une crème à la vanille et les garnir de fruits au choix. Mettre les tartelettes au réfrigérateur, puis les napper d'une gelée aux fruits. Badigeonner les flancs de crème à la vanille et y appliquer des décorations d'amandes effilées, de chocolat râpé ou de noisettes grillées et moulues.

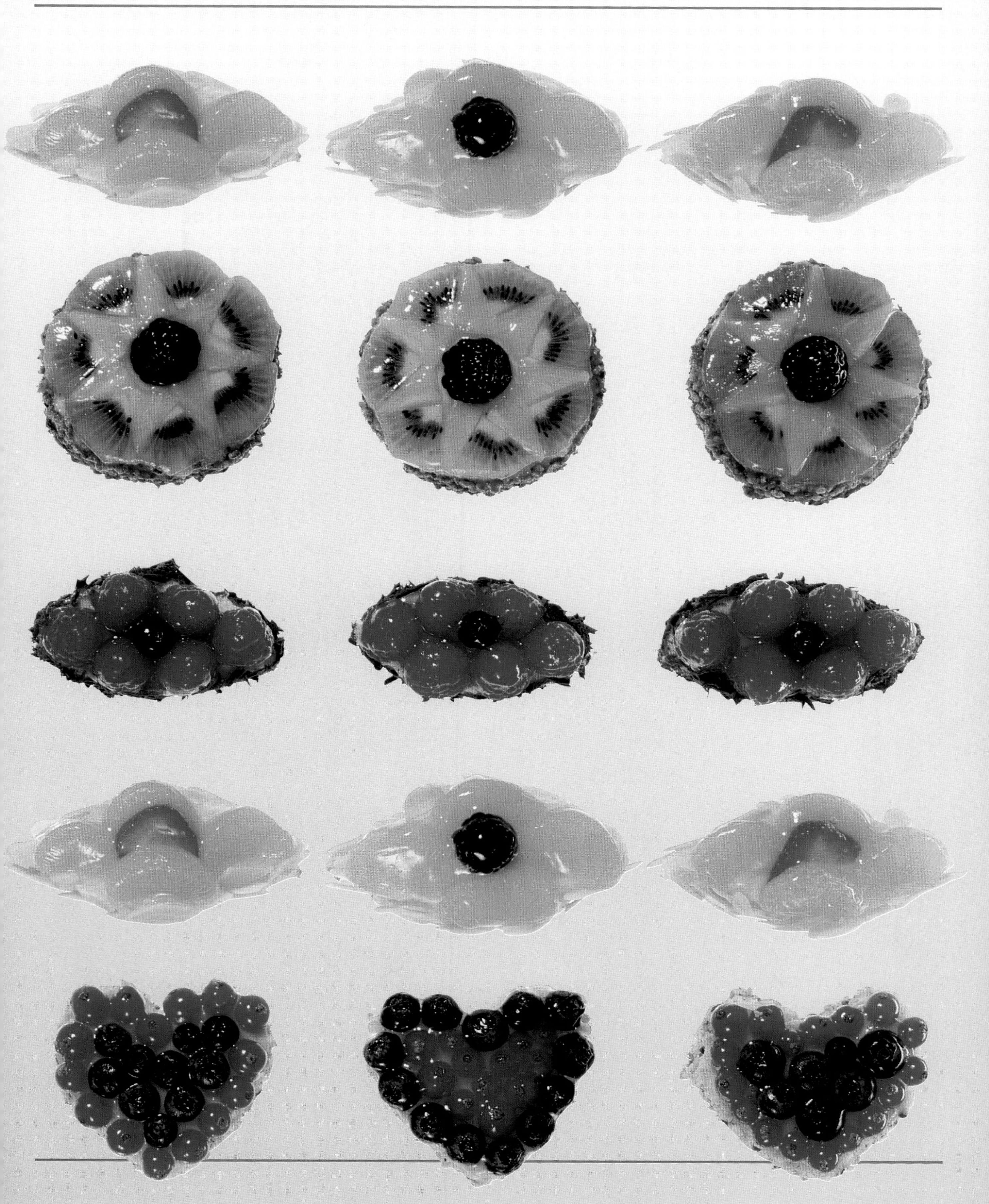

GARNITURES D'ASSIETTES À DESSERT

Le dessert doit être
un régal
pour la vue
et le palais.

◆

Les décorations d'assiette présentées ici avec des sauces, du sucre glace et du cacao en poudre doivent être ainsi confectionnées qu'il reste suffisamment de place pour le dessert, afin que celui-ci soit mis en valeur sans recouvrir la décoration. Le bord de l'assiette doit, sauf exception, rester libre.

Cuillère et fourchette : découper un modèle de fourchette et de cuillère, les disposer sur l'assiette et tamiser le cacao.

Poire : découper un modèle de poire dans un carton, poser le modèle sur une assiette noire et tamiser du sucre glace. Ajouter deux feuilles de menthe à la tige.

Dédicace personnelle : découper les lettres d'un nom dans un carton rond de diamètre égal à celui de l'assiette, le poser sur l'assiette et tamiser du cacao. Ajouter une rose et deux feuilles vertes de pâte d'amande.

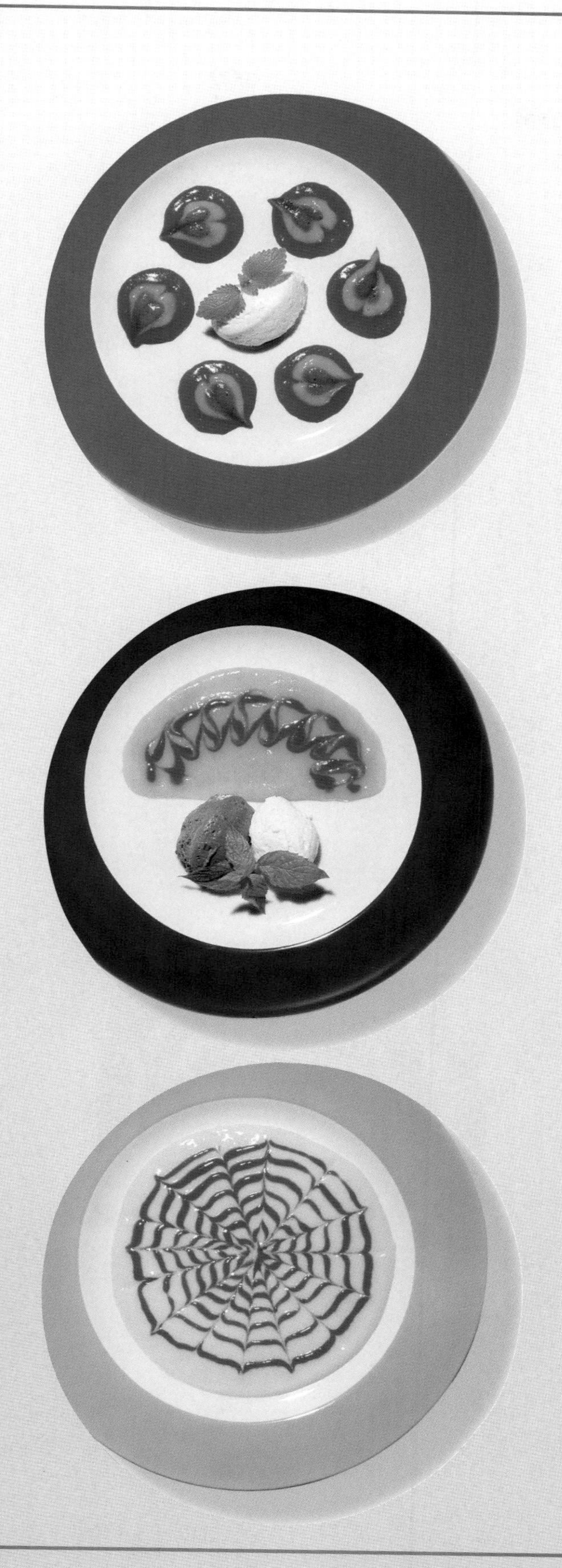

Petits cœurs : disposer sur l'assiette des taches rondes de coulis de framboise de 5 cm de diamètre à la cuillère. La recouvrir d'une tache plus petite de coulis de mangue, puis d'une noix de coulis de kiwi. Donner aux taches leur forme respective à la baguette. Il est important que les trois coulis aient la même consistance. Il ne doit pas y en avoir un plus épais que l'autre.

Demi-cercle : recouvrir la moitié de l'assiette d'un coulis de mangue. Pousser deux demi-cercles de coulis de framboise et de cassis sur le premier coulis. Faire glisser une baguette avec des mouvements en spirale à travers les coulis.

Araignée : recouvrir une assiette d'une fine couche de sauce à la vanille. Pousser des cercles de coulis de framboise dessus. Dessiner des lignes à la baguette, en faisant alterner des lignes du centre vers le bord de l'assiette, et des lignes en sens inverse.

Faites descendre,
d'un coup de baguette
magique,
un ciel étoilé
ou votre île de rêve,
sur l'assiette.

◆

Ce sont souvent, moins les choses compliquées, que les choses toutes simples, qui font de l'effet, grâce à une idée originelle ou à un petit rien sortant de l'ordinaire, surprenant la vue et le palais.

Île de rêve : faire chauffer du curaçao avec un peu d'eau et de jus de citron. Lier avec de la fécule de pomme de terre et mettre au frais. Renverser une crème à la noix de coco, auparavant gélifiée dans un moule en coquille, au centre de l'assiette. Confectionner des palmiers en chocolat de couverture, à l'aide d'une poche à douille, et les fixer sur l'île. Répartir la sauce autour de l'île, et garnir d'écrevisses et de poissons découpés, les unes dans une papaye, les autres dans une mangue.

Flamri : disposer quelques amandes effilées et grillées au centre de l'assiette et renverser un petit flamri (flan de semoule) dessus. Confectionner autour du flamri un disque de purée de framboise, puis deux cercles de crème double sur le miroir, à l'aide d'une poche à douille en papier sulfurisé. Dessiner à la baguette des lignes de l'intérieur vers l'extérieur et disposer des framboises tout autour du miroir. Décorer le flamri avec une petite rosace de crème fraîche et un ornement de chocolat.

Sorbet au citron : mettez-vous une fois dans la peau de Picasso ou de Miró et devenez artiste ! Coucher divers coulis de fruits, par exemple, kiwi, mangue ou framboise, dans les interstices d'ornements en chocolat de couverture à l'aide d'une poche à douille en papier sulfurisé. Placer au centre de l'assiette quelques flocons grillés de noix de coco et les recouvrir d'une quenelle de sorbet moulée à la cuillère à soupe. Décorer d'un ornement et d'une cigarette en chocolat.

Dessert de Noël : disposer une sauce moka en demi-lune sur la moitié d'une assiette et coucher dessus des lignes parallèles de coulis de cassis à l'aide d'une poche à douille en papier sulfurisé. Confectionner à la baguette dans le coulis de cassis des pointes montrant en alternance vers le haut et vers le bas. Découper un sapin et des étoiles dans du chocolat de couverture et disposer à l'emplacement de la glace, quelques copeaux de chocolat pour qu'elle ne glisse pas.

La glace peut être de la glace à la vanille, à la prune ou à la noisette. La placer sur les copeaux et y apposer une noix de chantilly poussée dans une poche à douille lisse. Poser le sapin et les étoiles dessus. Décorer le dessert avec des pruneaux marinés au porto et des zestes d'orange.

BUFFET À L'ITALIENNE

Finesse des mets et simplicité du décor se reflètent dans ce buffet classique italien.

◆

BUFFET À L'ITALIENNE

Composition du buffet

◆

Melon au jambon de Parme

–

Vitello tonnato

–

Brochettes de scampi sauce aux fines herbes

–

Salade de spaghettis aux champignons de Paris

–

Roquette au parmesan

–

Boccocini et tomates cerises

–

Tiramisu

Préparation

Vous préparerez la plupart des apprêts la veille. La longe de veau pour le vitello tonnato se garde cuite au réfrigérateur. Les champignons et les spaghettis pour la salade de spaghettis se font cuire également d'avance et la sauce de salade se prépare aussi la veille.

Il est possible de remplacer deux des mets par une assiette de fromages italiens, par exemple provolone, taleggio, bel paese et gorgonzola.

La corbeille de pain

Composez une corbeille de pain italien, dans laquelle ne doivent manquer ni le pain aux herbes, ni le pain aux olives ni la ciabata.

Les boissons

Offrez en apéritif un prosecco bien frais, le traditionnel campari orange ou un apérol, qui ressemble au campari mais qui contient un peu moins d'alcool. Comme boisson non alcoolisée, offrez par exemple un bitterino rouge.

Après quoi, vous pourrez servir un gavi de gavi blanc et un barbaresco, tous deux des vins du Piémont, qui sont les boissons idéales pour ce buffet. N'oubliez pas de prévoir suffisamment d'eau minérale et de jus de fruit.

La décoration

Simple mais avec une note personnelle, comme du reste les mets. Une nappe de lin avec la vaisselle assortie, simple, donnent le ton de la décoration. Nous avons choisi de la vaisselle en porcelaine blanche avec de l'ocre comme taches de couleur. Les serviettes en étoffe sont nouées, mais pas trop serrées. Des chandeliers, des photophores, des terres cuites et un gros bouquet de fleurs rustique, comportant des hortensias ou des tournesols, compléteront la décoration. Un bouquet d'herbes aromatiques méditerranéennes – origan, thym et romarin – peut remplacer les fleurs.

Melon au jambon de Parme

Ingrédients pour 12 parts
Préparation : 30 minutes

1	bouquet de menthe ciselée
1	melon jaune canari
1	melon brodé
400 g	de jambon de Parme détaillé en menus morceaux
200 g	d'olives noires dénoyautées

Pour garnir :

	Petites broches de cocktail

1 Laver, éponger et effeuiller la menthe. Couper le melon jaune en deux, ôter les pépins et prélever des boules de chair à la cuillère parisienne. Remplir une moitié du melon avec les boules prélevées et réserver l'autre.

2 Éplucher le melon brodé, le couper en deux et ôter les pépins. Détailler la chair en quartiers de 2 cm d'épaisseur, puis en morceaux de 4 cm de long et envelopper ceux-ci de jambon de Parme. Les embrocher avec des olives sur les petites broches de cocktail, puis les piquer sur la moitié de melon réservée et retournée.

Vitello tonnato

Ingrédients pour 12 parts
Cuisson : 1 heure
Refroidissement : 2 heures

500 g	de longe de veau
	Sel marin
	Poivre blanc du moulin
2 c. à s.	d'huile d'olive pour la cuisson
1	poivron vert
50 g	d'oignons hachés
1	gousse d'ail hachée
200 ml	de vin blanc sec
1	petit bouquet de thym
300 ml	de fond de bœuf
80 g	de thon en boîte
20 g	d'olives vertes dénoyautées
1 c. à s.	de câpres
200 ml	d'huile d'olive

Pour garnir :

1 c. à c.	de paprika en poudre
2 c. à s.	de persil haché
50 g	d'olives vertes farcies
50 g	de câpres

1 Saler et poivrer la longe de veau. La faire dorer sur toutes ses faces à l'huile d'olive dans une grande casserole à feu moyen. La réserver hors de la casserole.

2 Laver le poivron et le détailler en cubes grossiers. Faire blondir l'ail et les oignons à l'huile dans la casserole. Ajouter le poivron et mouiller avec le vin blanc.

3 Laver et effeuiller le thym. Ajouter le fond de bœuf, 150 ml d'eau, le thym, le thon, les olives et les câpres. Faire chauffer, puis ajouter la longe et laisser cuire à couvert pendant 45 min au four préchauffé à 160 °C.

4 Mettre la longe pendant 2 h au réfrigérateur, laisser refroidir le fond, puis le passer au mixeur. Ajouter goutte à goutte l'huile d'olive. Saler et poivrer.

5 Détailler la viande de veau en tranches très fines. Disposer celles-ci comme des tuiles sur un plat et napper de sauce. Saupoudrer de paprika en poudre et de persil ciselé.

6 Parsemer le veau d'olives émincées et de câpres.

Brochettes de scampi

Ingrédients pour 12 parts

Préparation : 30 minutes

24	queues de scampi
2	petites courgettes
24	feuilles de sauge
2 c. à c.	de sel marin
	Poivre du moulin
140 ml	d'huile d'olive
6 c. à s.	de fond de bœuf ou d'eau
2	jaunes d'œuf
1 c. à c.	de moutarde
4 c. à s.	de vinaigre de vin blanc
3 c. à s.	de fines herbes hachées
	Chicorée de Trévise

En outre :

12	broches en bois

1 Décortiquer les queues de scampi, les inciser à l'emplacement de l'intestin et ôter celui-ci. Laver les courgettes et la sauge et effeuiller celle-ci.

2 Couper les moitiés de courgette en tronçons de 1,5 cm et les découper à l'emporte-pièce en rondelles dentelées. Réserver quelques étoiles de courgette pour la décoration et embrocher les autres. Intercaler des morceaux de scampi et de la sauge. Confectionner 12 brochettes, les saler, les poivrer et les enduire de 40 ml d'huile d'olive.

3 Mélanger le fond de bœuf, les jaunes d'œuf, la moutarde et le vinaigre. Fouetter avec le reste d'huile d'olive, ajouter les herbes hachées. Saler et poivrer la sauce.

4 Faire griller les brochettes 5 min de chaque côté. Disposer les feuilles de chicorée de Trévise sur un plat, y poser les brochettes et garnir d'étoiles de courgette.

Salade de spaghettis aux champignons

Ingrédients pour 12 parts

Cuisson : 40 minutes

1	bouquet de persil
500 g	de champignons de Paris
1	petit oignon
140 ml	d'huile d'olive
50 ml	de vin blanc
400 g	de spaghettis
2 c. à c.	de sel marin
50 ml	de vinaigre de vin blanc
2	jaunes d'œuf
1 c. à c.	de moutarde
	Poivre du moulin
150 g	de yaourt de lait entier
2	tomates, 1 œuf dur

1 Laver, éponger et effeuiller le persil et hacher finement la moitié. Réserver le reste pour décorer. Nettoyer et émincer les champignons, puis les recouper en fins bâtonnets dans le sens de la longueur. Éplucher les oignons, les couper en dés et les faire blondir à l'huile d'olive.

2 Ajouter les champignons, les faire étuver quelques minutes, verser le vin blanc et porter à ébullition à couvert. Retirer du feu et laisser refroidir.

3 Faire cuire les spaghettis *al dente* dans suffisamment d'eau bouillante salée additionnée d'une goutte d'huile d'olive, puis les égoutter et les rafraîchir.

4 Égoutter les champignons en recueillant le fond et y mélanger le vinaigre, les jaunes d'œuf et la moutarde. Incorporer l'huile d'olive goutte à goutte. Saler et poivrer. Ajouter le persil et le yaourt et mélanger avec les spaghettis et les champignons. Dresser dans un saladier.

5 Peler les tomates, les couper en huit quartiers et les épépiner. Écaler l'œuf et le couper en rondelles. Poser deux rondelles d'œuf avec le jaune sur la salade. Disposer les tomates en pétales autour de l'œuf et garnir de feuilles de persil.

Roquette au parmesan

Ingrédients pour 12 parts	
Préparation : 20 minutes	
1 kg	de roquette
4	échalotes
1	bouquet d'estragon
2 c. à c.	de moutarde
50 ml	de vinaigre balsamique
1 c. à c.	de sel marin
	Poivre du moulin
120 ml	d'huile d'olive
500 g	de parmesan
Fleurs de carotte (p. 20/21)	

1 Laver et égoutter la roquette. Éplucher les échalotes et les couper en dés fins. Laver, éponger, effeuiller l'estragon et le hacher finement.

2 Confectionner une vinaigrette avec la moutarde, l'estragon, les échalotes, huile, vinaigre, sel et poivre.

3 Confectionner des copeaux de parmesan. Remuer la roquette et disposer la salade en étoile sur un plat. Décorer avec des fleurs de carotte. Parsemer la salade de parmesan.

Boccocini et tomates cerises

Ingrédients pour 12 parts	
Préparation : 20 minutes	
400 g	de tomates cerises
1	bouquet de basilic
400 g	de boccocinis (petites boules de mozzarella)
70 ml	d'huile d'olive
30 ml	de vinaigre de vin blanc
½ c. à c.	de sel marin
	Poivre blanc du moulin

1 Ôter les pédoncules des tomates. Laver et éponger le basilic et hacher finement la moitié.

2 Mélanger les boccocinis et les tomates avec le basilic haché et servir dans une vinaigrette. Garnir de feuilles de basilic.

Tiramisu

Ingrédients pour 12 parts	
Préparation : 1 heure	
Refroidissement : 4 heures	
6	jaunes d'œuf
150 g	de sucre
500 g	de mascarpone
1	citron non traité
3	feuilles de gélatine
250 g	de chantilly
200 g	de biscuits à la cuillère
50 ml	de cognac
3	tasses d'express
2 c. à s.	de cacao en poudre
2 c. à s.	de sucre glace

1 Fouetter dans un récipient les jaunes d'œuf avec le sucre jusqu'à obtention d'une crème mousseuse. Défaire le mascarpone, l'incorporer aux œufs et mélanger.

2 Laver et sécher le citron. Râper le zeste finement, puis couper l'agrume en deux et en presser le jus. Faire tremper la gélatine dans de l'eau froide. Fouetter la chantilly.

3 Incorporer au mascarpone d'abord le jus de citron, le zeste, la gélatine bien pressée, puis la chantilly.

4 Humecter les biscuits à la cuillère de cognac et d'express. Tapisser un plat à bords peu élevés de la moitié des boudoirs. Napper de crème et recouvrir d'une seconde couche de boudoirs. Terminer par une couche de crème.

5 Mettre au frais pendant 4 heures. Découper un cœur transpercé d'une flèche dans un carton assez mince. Saupoudrer le tiramisu de cacao avant de servir. Poser le carton sur le tiramisu et tamiser le cœur de sucre glace.

BRUNCH PASCAL

*Des délices salés
et sucrés,
une décoration
printanière,
un cadre agréable
pour un repas
en famille.*

◆

Brunch pascal

Composition du brunch

◆

Couronne tressée

–

Agneau
en pâte à biscuit

–

Truite saumonée
en croûte
avec
paniers de concombre
et œufs farcis

–

Crème de safran

–

Terrine d'agneau
avec barquettes d'avocats
et œufs de caille

–

Sauce au poivron

Préparation

Le pain aux fruits, la couronne tressée et les agneaux en pâte à biscuit peuvent se préparer la veille, de même que la terrine d'agneau et la sauce au poivron qui se garde bien au frais.

Si la truite enrobée de feuilletage vous paraît représenter trop de travail, vous pouvez la remplacer par une assiette de saumon fumé au raifort à la crème.

La corbeille de pain

Complétez votre brunch avec une baguette et des coquilles de beurre.

Les boissons

Offrez du café et du thé, et du cacao aux enfants. N'oubliez pas le verre de jus d'orange qui est toujours rafraîchissant sur une table de petit-déjeuner.

La décoration

Une fête printanière s'accompagne de couleurs gaies, et d'étoffes légères et fleuries aux teintes claires. Choisissez, par exemple, une combinaison de tons de pastel.

Nous avons opté pour une table pascale vaporeuse, et une nappe blanche, drapée de tulle. Les plumes fixées dans le tulle donnent une petite note amusante.

Des couverts aux manches assortis aux couleurs de la table, des verres également de couleur et une porcelaine blanche complètent bien l'atmosphère créée par les couleurs.

Les décorations pascales sont simples à préparer. Disposez quelques œufs de Pâques colorés sur un lit de cresson de fontaine, en guise de nid, ou fixez quelques œufs que vous aurez au préalable vidés, sur un fil métallique souple, et faites-le tenir dans une coupe d'herbe à chat.

Couronne tressée

Ingrédients pour 12 parts

Cuisson : 40 minutes

1	cube de levure de boulanger
150 ml	de lait tiède
6	œufs
40 g	de sucre
1 kg	de farine de froment, type 405
1 c. à c.	de sel
250 g	de beurre liquide
150 g	de raisins secs
1	jaune d'œuf
50 g	d'amandes effilées

1 Dissoudre la levure dans le lait tiède, puis l'incorporer à la farine avec les œufs et le sucre et pétrir.

2 Faire lever la pâte pendant 20 min dans un endroit chaud, puis y incorporer le sel, le beurre et les raisins secs. Pétrir à nouveau.

3 Rouler la pâte en trois minces cylindres de taille égale et faire une tresse. Joindre les extrémités et confectionner une couronne. La poser sur une tôle à pâtisserie et la faire lever encore 30 min.

4 Mélanger le jaune d'œuf avec un peu d'eau, en enduire la couronne et parsemer d'amandes. Cuire au four préchauffé à 180 °C pendant 30 minutes.

Agneau en pâte à biscuit

Ingrédients pour 4 agneaux

Cuisson : 40 minutes

9	œufs
150 g	de sucre
1	gousse de vanille
1	pincée de sel
300 g	de farine de froment, type 405
300 g	de fécule
200 g	de beurre
	Beurre et farine pour le moule

Pour la décoration :	
	Sucre glace
	Ruban et éventuellement quelques clochettes

1 Battre les œufs avec le sucre dans un récipient au bain-marie jusqu'à obtention d'une crème mousseuse. Fendre la gousse de vanille dans le sens de la longueur, gratter la moelle et l'ajouter aux œufs avec le sel.

2 Incorporer la farine et la fécule, puis le beurre après l'avoir réchauffé.

3 Beurrer un moule en forme d'agneau et le saupoudrer de farine. Le remplir de pâte à biscuit et le faire cuire au four préchauffé à 180 °C pendant 20 minutes. La pâte est calculée pour 4 agneaux.

4 Démouler les agneaux et les laisser refroidir. Les saupoudrer de sucre glace avant de servir, et leur nouer des rubans autour du cou.

Truite saumonée en croûte avec paniers de concombres et œufs farcis

Crème de safran

Ingrédients pour 12 parts

Préparation et cuisson : 70 minutes

Pour la truite :

1,2 kg	de filets de truite saumonée sans peau
150 g	d'épinards en branche
2 c. à c.	de sel marin
2	œufs
200 g	de chantilly
1	pincée de poivre de Cayenne
	Poivre du moulin
1 c. à s.	de pernod
600 g	de pâte feuilletée (surgelée et décongelée)
	Poivre du moulin

Pour la sauce :

2	pincée de safran en poudre
4 c. à s.	de vin blanc
300 g	de crème fraîche
	Sel marin
	Poivre du moulin

Pour la décoration :

12	paniers de concombre (p. 29)
12	œufs farcis (p. 78/79)

1 Ôter les arêtes des filets de truite et détailler en menus morceaux 350 g de chair dans les lobes du ventre. Mettre au frais.

2 Laver les épinards et les blanchir à l'eau bouillante salée. Les rafraîchir aussitôt, les égoutter et les éponger.

3 Réduire en fine purée au mixeur la chair de poisson détachée des lobes et les épinards. Casser les œufs, séparer le blanc des jaunes. Ajouter le blanc et la chantilly peu à peu à la purée. Saler, poivrer et enrichir de pernod et de poivre de Cayenne.

4 Poser les plaques de pâte feuilletée de manière à ce qu'elles se chevauchent et faire une abaisse de 2 mm d'épaisseur. Découper un rectangle de 35 x 12 cm de pâte et réserver le reste. Tapisser la moitié des filets de truite de farce sur 1 cm d'épaisseur et les placer au centre de l'abaisse de pâte feuilletée. Recouvrir des filets restants et les enduire du reste de farce.

5 Rabattre la pâte sur le poisson. Bien souder la couture et retourner le tout. Poser le paquet sur une tôle à pâtisserie et le badigeonner de jaune d'œuf battu. Confectionner dans les chutes de pâte une tête, une queue et des écailles et les poser sur le corps. Badigeonner ces derniers éléments de jaune d'œuf et cuire au four préchauffé à 200 °C pendant 15 min.

6 Laisser refroidir le poisson au sortir du four, puis le mettre au frais. Découper le corps du poisson en tranches de l'épaisseur d'un doigt et dresser sur un plat avec les corbeilles de concombre et les œufs farcis.

7 Pour la sauce, dissoudre le safran dans le vin blanc et incorporer à la crème fraîche. Saler et poivrer et servir avec le poisson dans une saucière.

Terrine d'agneau avec barquettes d'avocat et œufs de caille

Sauce au poivron

Ingrédients pour 12 parts

Préparation et cuisson : 90 minutes

Refroidissement : 4 heures

Pour la terrine :

500 g	de gigot d'agneau
40 ml	de noilly prat
1	pincée de carvi
1 c. à c.	de thym haché
2 c. à c.	de sel marin
	Poivre noir du moulin
400 g	de chantilly
1	selle d'agneau de 300 g
1 c. à s.	d'huile d'olive
1	bouquet de basilic
150 g	de haricots verts épluchés et blanchis
150 g	de carottes blanchies taillées en bâtonnets
12	barquettes d'avocat (p. 35)
12	œufs de caille farcis (p. 78)

Pour la décoration :

1	poivron rouge
1	poivron jaune

Pour la sauce :

1	poivron rouge
300 ml	de yaourt
1 c. à c.	de sel marin
	Poivre du moulin

1 Détailler le gigot en gros cubes et assaisonner avec le noilly prat, le carvi, le thym, sel et poivre.

2 Hacher la viande assaisonnée en utilisant la grille la plus fine du hachoir, puis mélanger le tout au mixeur en incorporant petit à petit la chantilly. Rectifier l'assaisonnement et mettre au frais.

3 Saler et poivrer la selle d'agneau. La faire revenir 1 min à l'huile d'olive sur toutes ses faces, puis la mettre au frais. Laver et effeuiller le basilic.

4 Chemiser une terrine contenant 1,5 l d'un film transparent, en faisant déborder le film sur les côtés. Remplir de farce sur 2 cm d'épaisseur, puis recouvrir de la moitié des haricots et des carottes. Tapisser d'une seconde couche de farce et poser la selle d'agneau au centre avec les feuilles de basilic. Recouvrir une nouvelle fois de farce, puis du reste de légumes. Terminer avec une couche de farce.

5 Rabattre le film transparent et fermer. Cuire au four préchauffé à 150 °C pendant 35 min. Alourdir la terrine au sortir du four et la laisser refroidir 4 heures au frais. Découper ensuite 12 tranches d'1 cm d'épaisseur et dresser sur un plat.

6 Laver tous les poivrons, les couper en deux, les épépiner et les faire cuire au four à 250 °C peau à l'extérieur, jusqu'à obtention d'une peau noire cloquée. Retirer la peau. Couper l'un des poivrons rouges en menus morceaux. Les réduire en purée au mixeur avec le yaourt. Saler et poivrer.

7 Découper dans les poivrons restants des ornements et en garnir la terrine. Disposer les barquettes d'avocat et les œufs de caille autour du plat et servir avec la sauce.

APÉRITIF AU CHAMPAGNE

Qu'est-il de plus agréable qu'un apéritif au champagne, avec un éventail varié de menus qui se à mangent en une ou deux bouchées, et ouvrent l'appétit ?

◆

ALESSI

Apéritif au champagne

Composition du menu

◆

Canapés au saumon avec beurre composé d'aneth

–

Profiteroles fourrées à la mousse de foie

–

Brochettes de crevettes

–

Croustades au fromage frais

–

Tartelettes aux fruits

Préparation

L'apéritif du déjeuner pouvant avoir lieu dès 11 heures du matin, il s'avère pratique de pouvoir préparer certaines choses la veille, par exemple le beurre d'aneth, les blancs de poularde, la pâte des croustades et des tartelettes. De même que l'on peut aussi déjà tapisser la veille les fonds de tartelettes de chocolat, cuire le pudding et faire revenir le foie.

Selon le caractère intime ou cérémonieux de la réunion, l'éventail de hors-d'œuvre chauds ou froids est plus ou moins varié, mais tous se mangent en une ou deux bouchées, ce qui, en principe, dispense de l'utilisation de couverts. Prévoyez, malgré cela, des assiettes et des couverts, et deux verres par personne, l'un pour les boissons alcoolisées, l'autre pour les boissons sans alcool.

Contrairement au buffet, vous n'avez besoin, pour l'apéritif, que d'une table où disposer boissons, verres, assiettes et serviettes. Offrez les amuse-gueule sur des plats ou des assiettes à chaque invité.

Les boissons

Vous servirez bien sûr du mousseux ou du champagne, et en plus, éventuellement, un vin blanc sec léger. Certaines personnes aiment mélanger le champagne avec du jus d'orange ou de fraise. Prévoyez toujours quelques boissons non alcoolisées, jus et eau.

La décoration

Pour l'apéritif du déjeuner, les couleurs claires sont recommandées, puisque nous sommes en pleine journée. Les tons de blanc et de gris donnent une impression de simplicité et de clarté sans paraître stricts. Ils confèrent un style à la réunion. Mettez une nappe blanche sur la table des boissons avec de la vaisselle blanche ou noire. Les plats dans lesquels vous offrirez les amuse-gueule peuvent être en chrome ou en acier et les serviettes blanches.

Canapés de saumon au beurre d'aneth

Ingrédients pour 12 parts	
Préparation : 30 minutes	
1	petit bouquet d'aneth
40 g	de beurre
½ c. à c.	de moutarde
1	pincée de sel
1	pincée de sucre
12	tranches fines de pain complet
2	feuilles de laitue
12	tranches de saumon mariné
30 g	d'œufs de saumon

1 Laver et éponger l'aneth et réserver 12 petits bouquets de pluches pour la décoration finale. Effeuiller et ciseler le reste.

2 Battre le beurre jusqu'à obtention d'une crème mousseuse et le mélanger avec la moutarde, l'aneth ciselé et les épices.

3 Découper le pain complet en tranches rondes et les beurrer. Laver et éponger la laitue et casser les feuilles en morceaux à étaler sur le pain.

4 Disposer les tranches de saumon en pétales de rose et garnir d'œufs de saumon et de pluches d'aneth.

Profiteroles fourrées à la mousse de foie

Ingrédients pour 12 parts	
Préparation : 45 minutes	
Temps de macération : 10 minutes	
Pour la pâte :	
150 ml	de lait
60 g	de beurre
100 g	de farine
1	pincée de sel marin
1	pincée de noix de muscade
2	œufs
Pour la farce :	
100 g	de foie de volaille
40 g	de beurre
20 ml	de cognac
30 ml	de consommé de volaille
80 ml	de chantilly
1	pincée de sel
	Poivre du moulin
Pour la décoration :	
1	pomme verte
6	olives noires

1 Faire chauffer le lait et le beurre. Incorporer la farine peu à peu en remuant avec une cuillère en bois jusqu'à ce que la pâte se détache du fond de la casserole.

2 Faire refroidir un peu la pâte, saler et relever de noix de muscade, puis incorporer les œufs. Quand la pâte est bien onctueuse, la mettre dans une poche à douille à embout dentelé et pousser des noix de 3 cm de diamètre sur une tôle à pâtisserie.

3 Cuire au four préchauffé à 180 °C pendant 15 min, puis laisser refroidir.

4 Faire dorer le foie au beurre dans une poêle. Flamber avec le cognac et ajouter le consommé de volaille. Laisser macérer le foie 10 minutes, puis le mettre au frais.

5 Réduire le foie avec le consommé en une purée très fine au mixeur, puis tamiser le tout. Saler et poivrer. Fouetter la chantilly et l'incorporer.

6 Couper un couvercle au ciseau dans les profiteroles. Les remplir de mousse de foie à l'aide d'une poche à douille et les garnir de pommes et d'olives noires découpées à l'emporte-pièce. Poser les couvercles en biais sur les profiteroles.

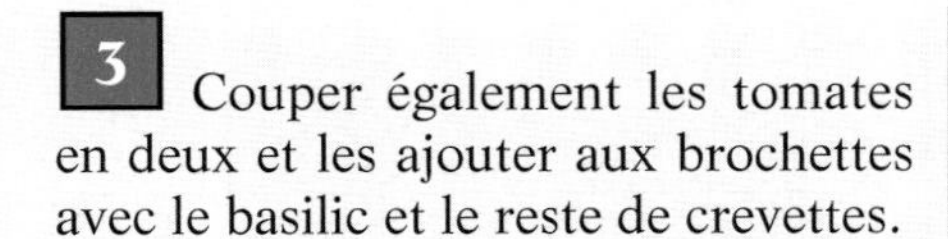

Brochettes de crevettes roses

Ingrédients pour 24 parts

Préparation : 20 minutes

Refroidissement : 4 heures

Pour les brochettes :

24	crevettes roses de 30 g chacune
1	pincée de sel
	Poivre du moulin
1 c. à s.	d'huile d'olive
12	physalis
1	poivron rouge
12	tomates cerises
24	feuilles de basilic

Pour la sauce :

1	gousse d'ail
1 c. à c.	d'huile d'olive
60 ml	de vin blanc
1	pincée de safran en poudre
250 g	de crème aigre
1	pincée de sel marin
	Poivre du moulin

Pour la garniture :

1	pamplemousse

1 Décortiquer les crevettes, les saler et les poivrer et les faire revenir à l'huile pendant 3 min de chaque côté.

2 Laver et éponger les physalis, les légumes et les herbes. Couper le poivron en deux, l'épépiner et le détailler en losanges de 2 cm de large. Couper les physalis en deux et les embrocher sur 12 brochettes en intercalant des losanges de poivron.

3 Couper également les tomates en deux et les ajouter aux brochettes avec le basilic et le reste de crevettes.

4 Éplucher l'ail, le hacher finement, le faire revenir à l'huile et mouiller avec le vin. Ajouter le safran, le dissoudre et laisser refroidir le fond obtenu. Lier avec la crème aigre. Saler et poivrer.

5 Aplatir le pamplemousse d'un côté et piquer les brochettes sur toute la surface ronde. Dresser sur un plat et présenter avec la sauce à part.

Croustades de fromage frais

Ingrédients pour 12 croustades

Préparation : 35 minutes

Temps de repos : 20 minutes

Pour la pâte :

200 g	de farine
100 g	de beurre
50 ml	de lait
1	pincée de noix de muscade
1	pincée de sel marin
10 g	de beurre pour les moules
	Fèves pour empêcher la pâte de gonfler

Pour la garniture :

200 g	de fromage frais (double crème)
3 c. à s.	de cerfeuil, de thym et de persil hachés
	Sel marin
	Poivre du moulin
	Un peu de lait
1	tomate
12	feuilles de cerfeuil

1 Pétrir la farine et le beurre, le lait et les épices et laisser reposer 20 minutes.

2 Beurrer et fariner les moules à croustades. Faire une fine abaisse de pâte, la découper en disques et foncer les moules.

3 Parsemer tous les moules de fèves pour alourdir la pâte et cuire au four préchauffé à 180 °C pendant minutes. Retirer ensuite les fèves.

4 Mélanger le fromage frais et les herbes hachées. Saler et poivrer. Ajouter éventuellement un peu de lait.

5 Ôter les pédoncules des tomates, les entailler en croix sur le côté opposé au pédoncule et les blanchir quelques secondes à l'eau bouillante salée, jusqu'à ce que la peau commence à se détacher. Les rafraîchir à l'eau froide, les peler, les couper en deux, les épépiner et les couper en très fines tranches.

6 Remplir les croustades de fromage frais à l'aide d'une poche à douille et garnir de tomates et de cerfeuil.

Les tartelettes aux fruits

Ingrédients pour 12 parts
Préparation : 40 minutes
Refroidissement : 1 heure

Pour la pâte :

180 g	de farine complète
120 g	de beurre
40 g	de sucre
1	pincée de sel
10 g	de beurre pour les moules
	Fèves pour empêcher la pâte de gonfler
50 g	de chocolat de couverture noir extra fin

Pour la garniture :

25 g	de pudding à la vanille en poudre
300 ml	de lait
15 g	de sucre
150 g	de chantilly fouettée
700 g	de fruits (fraises, pêches, raisins)
400 ml	de gelée de fruit

1 Pétrir la farine avec le beurre, le sucre et le sel, puis laisser reposer 20 minutes.

2 Beurrer et fariner ensuite 12 moules à tartelettes. Faire une fine abaisse de pâte, la découper en disques et foncer les moules.

3 Parsemer tous les moules de fèves pour alourdir la pâte et cuire au four préchauffé à 180 °C pendant 10 minutes. Retirer ensuite les fèves. Laisser refroidir les fonds de tarte, faire chauffer le chocolat et chemiser les moules.

4 Pour la crème, mélanger la poudre de pudding à la vanille avec un peu de lait. Faire chauffer le reste de lait et ajouter le sucre. Y incorporer le mélange de pudding et de lait. Porter à ébullition et retirer du feu. Mettre au frais pendant 30 minutes. Remuer et incorporer la chantilly.

5 Remplir les fond de tarte de crème. Laver les fruits. Couper les fraises et les raisins en deux. Épépiner ceux-ci et couper les pêches en tranches. Disposer les fruits sur la crème et laisser encore 30 minutes au frais. Faire chauffer la gelée et napper les fruits.

BUFFET ASIATIQUE

*Faites entrer
le charme de l'Asie
chez vous,
avec des
spécialités
d'Extrême-Orient.*

◆

天恵美酒

Buffet asiatique

Composition du menu

◆

Salade
de pousses de soja
aux crevettes
-
Variations
sur les sushis
-
Magret de canard
au sésame
-
Satées
sauce cacahuète

Préparation

La veille, vous pouvez cuire le riz et le mélanger au vinaigre de vin de riz, cuire également les magrets de canard et préparer la sauce, ainsi que celle des satées.

Prenez pour les sushis du poisson très frais.

Si vous voulez offrir en plus un dessert, une salade de fruits à base, par exemple, de melon ou d'ananas, se marie bien avec les mets asiatiques (recettes p. 68).

Les boissons

Un thé vert ou au jasmin accompagnera ce repas pouvant se terminer avec un saké, qui se boit chaud. Comme boissons froides, on peut servir de l'eau minérale, des jus de fruits et de la bière et prévoir aussi un vin blanc sec.

La décoration

Un buffet asiatique est beau à voir sur une décoration se limitant à quelques couleurs classiques. Nous avons choisi, pour notre présentation, le doré, le rouge et le noir, et il nous a paru être une bonne idée de mettre sur la nappe des nattes à sushis. Tous accessoires asiatiques pourront servir à la décoration : éventails, bols, baguettes, théière, coup de fruits en bois ou un chapeau chinois. Quelques brindilles décorées très sobrement avec des fleurs de fruits exotiques, fleurs de bananes, physalis etc., peuvent compléter la décoration.

Menue
Seezungenröllchen
Graved Lachs
Roastbeefröllchen

Buffet de cérémonie

Composition du menu

◆

Rouleaux
de riz à la sole
sauce safran

–

Saumon mariné
sauce moutarde
et aneth

–

Barquettes
d'avocat

–

Jambon de dinde
avec des figues farcies
et du melon au porto

–

Rouleaux de rosbif
et fromage blanc
aux fines herbes

–

Pâté de lièvre
et fonds d'artichaut

–

Salade de céleri
en ananas

–

Mousse au chocolat

Préparation

Ce buffet recherché convient à toutes les cérémonies. La plupart des apprêts devant se préparer frais le jour même, prévoyez de l'aide.

Le pâté de lièvre peut se préparer la veille.

Le buffet vous procurera moins de travail si vous proposez deux fois plus de saumon mariné à la place des rouleaux de riz à la sole.

La corbeille de pain

Un choix de petits pains et de viennoiseries sera parfait pour ce buffet. Servez des petits pains au sésame, aux noix et aux graines de courge, des brioches, et du pain complet.

Les boissons

Offrez pour accueillir les invités une coupe de champagne ou un cocktail composé d'1 cuillère à soupe de chair de pêche et de mousseux, garni d'une feuille de menthe et d'une tranche de pêche sur le rebord du verre. Avec les autres plats, offrez un riesling du Rheingau et un bourgogne rouge.

La décoration

Des apprêts raffinés ont besoin, pour être mis en valeur, d'un cadre à la hauteur. Une décoration ton sur ton dans des teintes pastel présente bien. Une nappe blanche ou rose en damas avec des serviettes d'un rose un peu plus soutenu peut donner le ton de base. Si vous possédez de l'argenterie, elle convient absolument. Un gros bouquet de fleurs composé de roses et d'autres fleurs de saison blanches, rose pâle et rose vif, complète le tout.

Rouleaux de riz à la sole sauce safran

Ingrédients pour 12 parts

Préparation : 90 minutes

Pour les rouleaux de sole :

300 g	d'épinards en branche nettoyés
	Sel marin
400 g	de filet de saumon froid sans peau
	Poivre du moulin
300 g	de chantilly
1 c. à s.	de cognac
1 c. à s.	de pernod
16	filets de sole
	Légumes à pot-au-feu
4	arêtes centrales de soles
0,3 l	de vin blanc
2	petites courgettes
1	gros poivron rouge
1 c. à c.	de vinaigre de vin blanc
1 c. à s.	d'huile d'olive
12	bouquets de cerfeuil

Pour la sauce au safran :

2	pincées de safran en poudre
3 c. à s.	de fumet de poisson ou d'eau
3	jaunes d'œuf
½ c. à c.	de moutarde
2 c. à s.	de vinaigre
150 g	d'huile d'olive
100 g	de yaourt
	Sel marin
	poivre du moulin

1 Laver les épinards et les blanchir quelques minutes à l'eau bouillante salée. Les rafraîchir aussitôt à l'eau froide et disposer les feuilles côte à côte sur un torchon.

2 Habiller le poisson et le détailler en petits cubes. Le mettre dans le mixeur tant qu'il est encore bien froid. Saler et poivrer.

3 Réduire la chair en purée très fine en y incorporant peu à peu la chantilly. Enrichir de cognac et de pernod. Rectifier l'assaisonnement.

4 Aplatir les filets de sole avec le dos d'un couteau. Poser sur un film transparent respectivement 4 filets très près l'un de l'autre côté peau à l'extérieur. Saler et poivrer légèrement les filets et les enduire de farce sur une épaisseur de 5 mm.

5 Les recouvrir d'épinards et enrouler. Bien serrer le film transparent en enveloppant le poisson et fermer avec de la ficelle.

6 Nettoyer et laver les légumes à pot-au-feu et les faire cuire dans une marmite avec l'eau et le vin blanc, les arêtes de poisson et 2 cuillères à café de sel. Porter à ébullition, puis réduire le feu et ajouter les rouleaux. Les laisser mijoter 20-25 minutes, puis les mettre dans de l'eau froide.

7 Confectionner six cannelures au zesteur dans les courgettes, puis les découper en rondelles de 2 cm de large. Creuser chaque rondelle à l'aide d'une cuillère parisienne et les faire cuire 2 minutes à l'eau salée. Les rafraîchir à l'eau froide et les éponger dans un torchon.

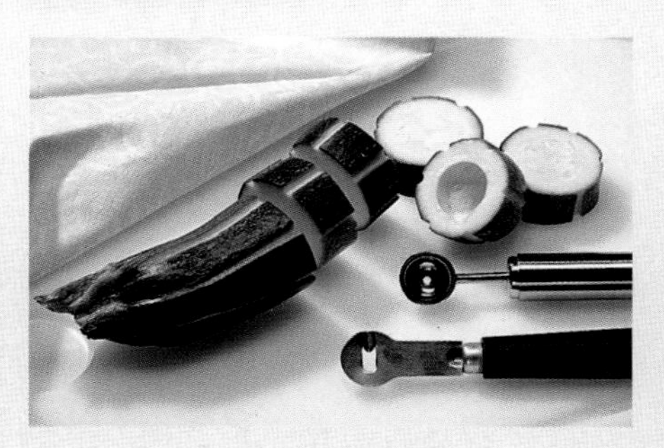

8 Éventuellement peler le poivron, le couper en dés de 5 mm et les faire mariner dans une vinaigrette. Remplir les courgettes de poivrons marinés et garnir de cerfeuil.

9 Sortir les rouleaux de sole du film transparent et les couper en rondelles de 1 cm d'épaisseur. Dresser sur un plat avec les courgettes farcies.

10 Faire chauffer le safran dans le fumet ou dans de l'eau et lier avec les jaunes d'œuf, la moutarde et le vinaigre.

11 Ajouter peu à peu l'huile d'olive, puis le yaourt et remuer jusqu'à obtention d'une crème homogène. Saler et poivrer. Servir la sauce avec les rouleaux.

Saumon mariné

Ingrédients pour 12 parts	
Préparation : 50 minutes	
Macération : 24 heures	
Pour le saumon :	
3	bouquets d'aneth
340 g	de sucre
270 g	de sel marin
15	grains de poivre
1,2 kg	de filet de saumon avec peau
3 c. à s.	d'huile d'olive
2 c. à s.	de brandy
Pour la sauce :	
2	bouquets d'aneth
4 c. à s.	de sucre
6 c. à s.	de moutarde mi-forte
	Poivre du moulin
4 c. à s.	de vinaigre de vin blanc
125 ml	d'huile d'olive
Pour la décoration :	
12	courgettes farcies (p. 26)
24	poissons de pommes de terre (p. 23)

1 Laver, éponger et ciseler l'aneth et le mélanger avec le sucre, le sel et le poivre concassé. Ôter les arêtes du poisson, l'enduire d'huile et de brandy et laisser mariner pendant 24 heures à un endroit frais dans l'aneth. Le retourner régulièrement.

2 Pour la sauce, ciseler l'aneth et le mélanger avec le sucre, la moutarde, le poivre et le vinaigre. Incorporer l'huile d'olive goutte à goutte.

3 Nettoyer le saumon et le détailler en fines tranches obliques. Dresser sur un plat avec la décoration.

Barquettes d'avocat

Ingrédients pour 12 parts	
Préparation : 30 minutes	
3	avocats
1	citron
1 c. à c.	de miel
2 c. à s.	d'huile d'olive
150 g	de mayonnaise
3 c. à s.	de ketchup
1 c. à s.	d'estragon haché
1 c. à s.	de pernod
1	échalote hachée
½ c. à c.	de sel marin
1	pincée de piment rouge en poudre
100 g	de chantilly fouettée
300 g	de crevettes cuites et décortiquées
6	olives noires dénoyautées
1	brindille d'estragon

1 Couper les avocats en deux, puis en quatre après les avoir dénoyautés. Presser le citron et mélanger le jus avec le miel et l'huile d'olive. Enduire les avocats de cette sauce.

2 Mélanger la mayonnaise et le ketchup, y ajouter l'estragon, le pernod et l'échalote hachée, saler et épicer avec le piment rouge. Incorporer la chantilly, éponger les crevettes et les ajouter.

3 Couper les olives en quatre. Remplir les quartiers d'avocat de cocktail de crevettes et décorer avec les olives et les feuilles d'estragon.

4 Dresser les barquettes d'avocat avec les rouleaux de sole sur un plat.

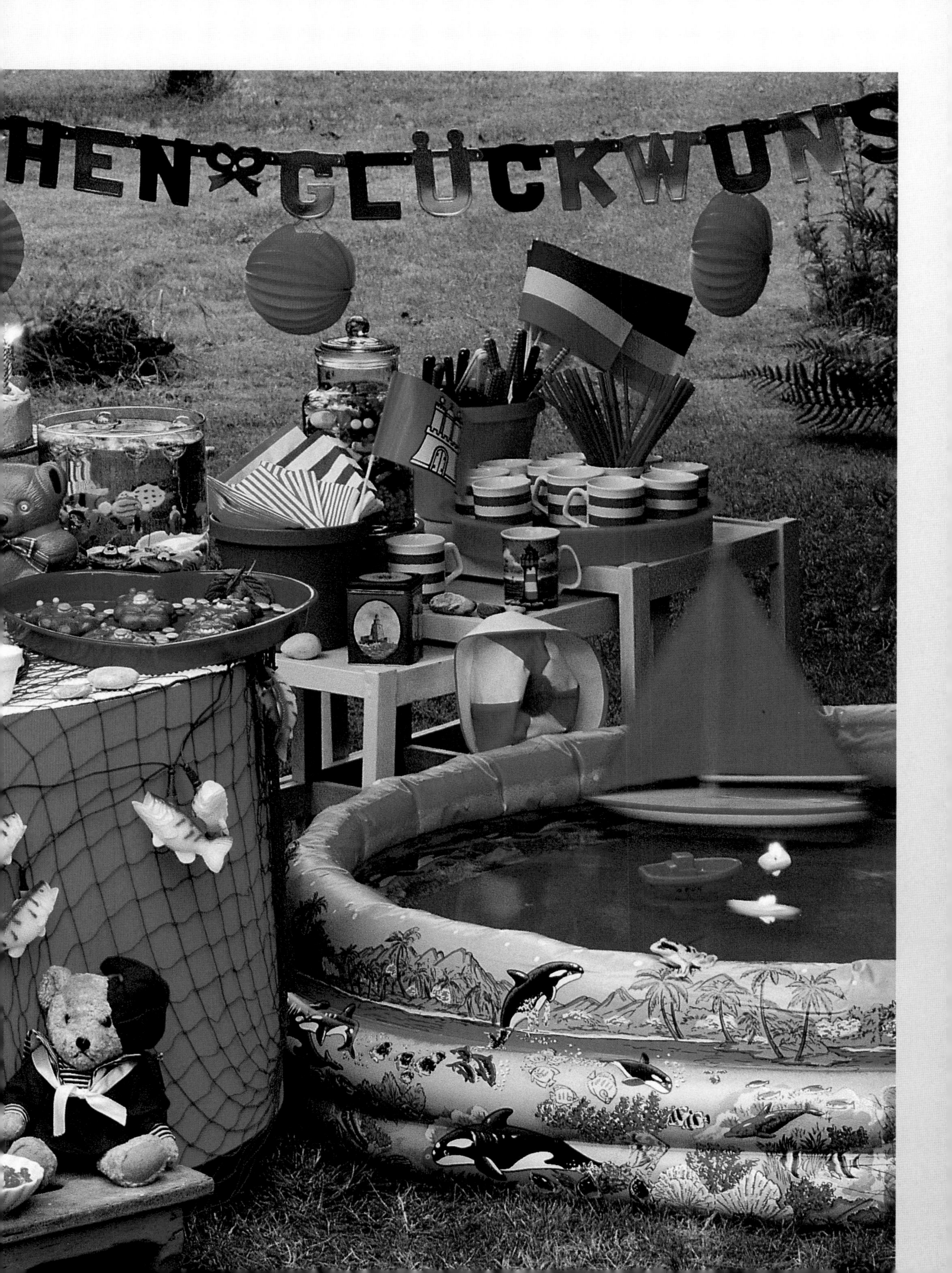
HEN GLÜCKWUNS

DÎNETTE

Composition du menu

◆

Gâteau d'anniversaire

-

Petits hamburgers

-

Saucisses en croûte

-

Salade de nouilles étoilée en couleurs

-

Ours en chocolat

Préparation

Afin que le jour de l'anniversaire soit plus détendu, préparez-le déjà la veille. Vous pouvez, la veille, faire cuire la viande hachée pour les hamburgers, faire cuire les cuisses de poulet, préparer la salade jusqu'au point n° 4 et la génoise pour le gâteau.

Les verres à jus de fruit portent le nom des invités, pour que chaque enfant retrouve vite son verre.

La corbeille de pain

Composez une corbeille de petits pains miniatures, de miniviennoiseries et de pain complet.

Les boissons

Servez avec le gâteau du cacao et du thé parfumé aromatisé aux fruits, et après, de l'eau et des jus de fruits. Si vous possédez un presse-fruits, pressez différents fruits, chaque enfant fera lui-même son cocktail avec ses fruits préférés.

La décoration

Organisez la fête autour d'un thème, par exemple « un voyage en mer » ou « une visite au cirque. » Vous pouvez commencer des semaines auparavant avec les ouvrages à la main non comestibles : le nounours vieux loup de mer, les clowns, les animaux ou autres figures en papier, et déjà les accrocher au-dessus du buffet. Les enfants peuvent venir déguisés, selon le thème, en marins, en personnages ou animaux de cirque etc., ou se maquiller le visage pendant l'anniversaire, en clown, en animal etc.

Choisissez une décoration simple aux couleurs vives, avec comme couleur principale, la couleur préférée de l'enfant dont c'est l'anniversaire et assortissez-y une belle nappe en plastique, des serviettes en papier et des pailles.

Gâteau d'anniversaire

Ingrédients pour 1 gâteau

Préparation : 75 minutes

Pour la génoise :

80 g	de beurre
6	œufs
170 g	de sucre
1 c. à c.	de sucre vanillé
100 g	de farine
80 g	de fécule
1 c. à c.	de poudre à lever
1	pincée de sel
	Beurre et farine pour chemiser le moule

Pour la crème de fraise :

8	feuilles de gélatine rouge
300 g	de purée de fraises
150 g	de sucre glace
300 g	de yaourt
600 g	de chantilly

Pour la garniture :

250 g	de chantilly
40 g	de sucre
1 c. à c.	de krémfix
16	petites fraises lavées et équeutées
2	animaux en pâte d'amandes
	Encre comestible
	Bougies

1 Faire fondre le beurre et le réserver.

2 Battre les œufs avec le sucre et le sucre vanillé jusqu'à obtention d'une crème ferme, claire et mousseuse.

3 Tamiser la farine, la fécule et la poudre à lever et incorporer le mélange peu à peu dans la mousse d'œufs en ne cessant de remuer avec une spatule en bois.

4 Incorporer ensuite le beurre et le sel et mélanger. Verser le tout dans un moule à fond amovible beurré et fariné de 28 cm de diamètre et cuire au four préchauffé à 180 °C pendant 30 minutes.

5 Démouler ensuite la génoise et la laisser refroidir sur une grille. Quand elle est froide, la couper en trois disques à l'aide d'un long couteau à lame bien aiguisée.

6 Faire tremper la gélatine dans de l'eau froide, puis la presser et la faire chauffer dans une casserole avec un peu de purée de fraise et l'incorporer au reste de purée de fraise.

7 Mélanger la purée de fraise avec le sucre glace et le yaourt.

8 Fouetter la chantilly jusqu'à obtention d'un appareil tenant entre les branches du fouet et l'incorporer à la crème de fraise. Encercler un disque de génoise et l'enduire de 2 cm de crème. Poser ensuite le second disque dessus et le recouvrir également de crème.

9 Poser le troisième disque, le recouvrir de crème et bien napper les côtés. Mettre le gâteau pendant deux heures au réfrigérateur.

10 Marquer 16 parts de gâteau au couteau. Fouetter la chantilly avec 1 cuillère à café de krémfix et le sucre jusqu'à obtention d'un appareil tenant entre les branches du fouet, et le mettre dans une poche à douille à embout dentelé. Poser une noix de chantilly sur chaque part et la coiffer d'une fraise.

11 Écrire « Happy Birthday » ou « Bon anniversaire » à l'encre comestible, répartir les animaux en pâte d'amande et mettre des bougies assorties.

Petits hamburgers

Ingrédients pour 24 parts
Préparation : 30 minutes

1200 g	de hachis de viande de bœuf
200 ml	de lait
4 c. à s.	de chapelure
2	œufs
2 c. à s.	de persil haché
2 c. à c.	de sel marin
	Un peu de poivre du moulin
1	laitue
4	tomates
24	petits pains à hamburger
160 g	de mayonnaise
6 c. à s.	d'huile de sésame
160 g	de ketchup

Pour la décoration :

24	étoiles de concombre
24	tomates cerises

1 Mettre le hachis de bœuf dans un récipient et le mélanger avec le lait, la chapelure, un œuf et le persil. Saler et poivrer.

2 Confectionner 24 petits steaks hachés plats et les mettre au frais recouverts.

3 Effeuiller la laitue, la laver et l'égoutter. Laver les tomates, enlever le pédoncule et les couper en rondelles.

4 Couper les petits pains en deux, les toaster du côté de la mie et les tartiner de mayonnaise. Recouvrir la partie inférieure d'une feuille de laitue et la partie supérieure de rondelles de tomate.

5 Faire revenir les steaks hachés à l'huile dans une poêle et les poser sur la moitié inférieure des petits pains. Les enduire d'1 cuillère à café de ketchup, recouvrir de la partie supérieure et piquer dessus une étoile de concombre et une tomate cerise avec un bâtonnet en bois.

Saucisses en croûte

Ingrédients pour 24 parts
Préparation : 20 minutes

800 g	de pâte feuilletée surgelée et décongelée
24	petites saucisses de Strasbourg
2	jaunes d'œuf

1 Faire une abaisse de 2 mm d'épaisseur, la découper en rectangles et envelopper les saucisses une fois et demi. Garder les chutes de pâte pour la décoration.

2 Mélanger le jaune d'œuf avec 1 c. à s. d'eau et badigeonner la pâte.

3 Faire une nouvelle abaisse de chutes de pâte de la même épaisseur et découper à l'emporte-pièce des lunes, des étoiles et autres ornements. Les poser sur le feuilletage, bien appuyer pour les souder et les badigeonner également d'œuf.

4 Cuire les saucisses au four préchauffé à 200 °C pendant 10 minutes.

Salade de nouilles

Ingrédients pour 12 parts
Préparation : 45 minutes

Pour la salade :

500 g	de farfalles (pâtes en papillon)
	Sel marin
2 c. à s.	d'huile d'olive
400 g	de petits pois (surgelés et décongelés)
200 g	de jambon de Paris maigre
300 g	d'étoiles de carotte (p. 30/31)

Pour la sauce :

125 g	de crème fraîche
200 g	de yaourt maigre
1 c. à c.	de moutarde
	Poivre du moulin
	Sel marin
2 c. à s.	de vinaigre

Pour la décoration :

	Étoiles de carotte (p. 20/21)
½	grosse tomate
	Mayonnaise au ketchup (produit industriel)
	Persil commun

1 Faire cuire les pâtes al dente dans une grande casserole pleine d'eau salée. Rafraîchir les pâtes et bien les égoutter.

2 Blanchir les petits pois quelques minutes à l'eau bouillante salée, puis les rafraîchir pour qu'ils gardent leur couleur verte. Enlever le gras du jambon et le détailler en lamelles.

3 Pour la sauce, mélanger la crème fraîche, le yaourt et la moutarde dans un grand saladier jusqu'à obtention d'une crème lisse. Saler et poivrer et rectifier l'assaisonnement de vinaigre.

4 Mettre les pâtes, les petits pois et le jambon dans le saladier, bien remuer et rectifier l'assaisonnement.

5 Réserver quelques étoiles de carotte pour la décoration et incorporer les autres à la salade. Dresser la salade sur un plat et la parsemer d'étoiles de carotte.

6 Poser la demi-tomate section en bas sur la salade, dessiner un visage de mayonnaise au ketchup et décorer avec du persil.

Pudding au chocolat en forme d'ours

Ingrédients pour 12 parts
Préparation : 30 minutes
Refroidissement : 2 heures

Pour le pudding :

1 l	de lait
80 g	de pudding en poudre (2 sachets)
40 g	de sucre
80 g	de chocolat noir extra fin

Pour la décoration :

250 g	de chantilly
1 c. à s.	de sucre
1 c. à c.	de krémfix
	Quelques perles de couleur
	Lentilles en chocolat

1 Diluer le pudding en poudre et le sucre dans 100 ml de lait.

2 Faire fondre les morceaux de chocolat avec le reste de lait, puis ajouter le pudding dissous. Porter à ébullition et retirer du feu.

3 Rincer 12 moules en forme d'ours (ou à défaut 12 tasses à café) à l'eau froide. Remplir les moules de pudding et mettre 2 heures au réfrigérateur.

4 Détacher le pudding des bords du moule à l'aide d'un couteau pointu et le renverser.

5 Fouetter la chantilly et le krémfix. Remplir une poche à douille à embout dentelé, décorer le pudding de chantilly, de perles et de lentilles de couleur.

Préparer un buffet

L'organisation d'un buffet froid est du travail, mais un travail agréable.

◆

L'invitation

L'invitation à un repas à la bonne franquette entre amis se fait généralement par téléphone. Mais pour un dîner officiel ou une occasion particulière, un anniversaire, un jubilé ou une solennité quelconque, il est recommandé d'envoyer des invitations. Une belle invitation allèche le convive et sert de pense-bête. Une invitation a, en outre, l'avantage que vous pouvez déterminer jusqu'à quelle date vous attendez une réponse des personnes conviées. Voici ce qu'il ne faut pas oublier de noter sur l'invitation :

• Le genre d'invitation dont il s'agit : apéritif au champagne, repas de cérémonie, barbecue, buffet d'automne.

• L'occasion, s'il y en a une : anniversaire, de qui, de quoi, ouverture d'un commerce, commémoration.

• La date et l'heure.

• Donnez une date délai pour la réponse, une ou deux semaines avant le jour de l'événement, et notez, par exemple : R.S.V.P. jusqu'au ...

Le style de la carte d'invitation doit correspondre au style de l'événement, et sa présentation annoncer la couleur, par exemple un papier de Chine avec des baguettes ou un petit éventail pour un buffet asiatique ; une coupe de champagne découpée dans un papier alu, et collée sur du papier blanc, pour l'apéritif au champagne. Faites travailler votre imagination.

Une carte d'invitation s'envoie généralement :

• deux à trois semaines avant, pour un déjeuner officiel ;

• deux à trois semaines avant, pour un déjeuner ou un dîner sans caractère officiel ;

• quatre à six semaines avant, pour un déjeuner ou un dîner d'affaires ou un événement officiel important ;

• trois à quatre semaines avant, pour un cocktail ;

• quatre à huit semaines avant, pour un buffet ;

• six à huit semaines avant, pour un événement familial ;

• dix à douze semaines avant, pour un mariage ;

• trois à six mois avant, pour un jubilé ou une grande cérémonie, avec une brève notice d'information. La carte d'invitation suit quatre semaines avant l'événement.

• Si votre invitation tombe sur un jour férié ou un week-end prolongé, prévenez vos invités deux mois auparavant.

L'organisation

Plusieurs questions d'organisation se posent autour d'un repas, qu'il vaut mieux éclaircir auparavant pour éviter le stress.

1 Avez-vous assez de chaises ? Si vous invitez souvent, il vaut la peine d'acheter des chaises pliantes.

2 Votre porte-manteau suffit-il ? Prévoyez une pièce non utilisée où vous déposerez les manteaux.

3 Un réfrigérateur normal ne sera jamais assez grand pour contenir le repas et les boissons. En hiver, on peut avoir recours au balcon ou à la terrasse, sinon à la baignoire ou à une bassine en plastique, que l'on remplit de glace. La glace à rafraîchir s'achète dans des magasins spécialisés.

4 Les verres : pour le barbecue ou le pique-nique, des verres en carton suffisent. Dans les autres occasions, il faut prévoir une coupe à champagne, un verre à vin ou un verre à bière, et un verre pour boisson non alcoolisée par convive. Si l'on invite souvent, il vaut la peine d'acheter quelques verres bon marché. Les verres se louent également.

5 La vaisselle : achetez pour des fêtes d'une certaine importance de la vaisselle bon marché, de préférence blanche, qui va avec tout. Des planches en bois recouvertes de papier aluminium se transforment facilement en plats de service.

L'agencement du buffet

1 Un buffet peut être agencé sur une table, une table à tapisser ou tout autre support peu profond pour que les convives atteignent sans peine tous les plats.

2 Une surélévation obtenue grâce, par exemple, à une caisse renversée, donne plus de place et ajoute du sel !

3 La nappe doit descendre jusqu'au sol. Vous pouvez utiliser des nappes en plastique ou en tulle. Une table en bois n'a pas besoin de nappe.

4 La place des mets sur le buffet est celle de l'ordre habituel du menu durant un repas. Avant les hors-d'œuvre, se trouvent assiettes, couverts, corbeille à pain et beurre, puis la soupe, le récipient dans lequel elle est prise, tasse ou bol, et les cuillères, les hors-d'œuvre, le plat principal, les sauces et les garnitures, le dessert avec les couverts nécessaires et une corbeille de fruits. Tout au bout, enfin, un plateau de fromage, de nouveau pain et beurre, une nouvelle pile d'assiettes, et des couteaux.

5 Hors d'atteinte peut se trouver une composition florale ou un arrangement de légumes frais. Verres et boissons se placent, de préférence, sur une autre table ou sur un guéridon.

Composition du plateau de fromage

Tout buffet, à l'exception du buffet asiatique, se terminera par un plateau de fromage. Sa composition dépend de votre choix de fromage. On ne fait pas d'erreur majeure en offrant une ou deux variétés de chaque groupe de fromage :

- Pâtes fraîches au lait de vache ou de brebis, de 45 % à 75 % de MG.
- Pâtes molles à croûte fleurie et lavée (camembert, brie, vacherin etc.)
- Pâtes persillées (roquefort, gorgonzola etc.)
- Pâtes pressées cuites et non cuites (tome de Savoie, fromage des Pyrénées, pecorino, gouda, édam appenzell etc.)

Le choix de fromages dépend des apprêts proposés. Sur un buffet italien, on présentera plutôt des fromages italiens. Il vaut mieux, en outre, présenter des grosses pièces et moins de variétés, qu'une multitude de petits fromages.

Une table bien mise

Une table décorée avec goût crée d'emblée une ambiance agréable.

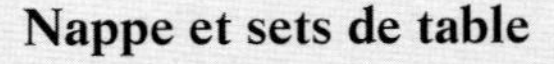

Nappe et sets de table

Une autre couleur que le blanc était autrefois impensable pour le linge de table. De nos jours, de nombreuses variations de couleurs sont permises. Le choix de la nappe doit tenir compte des éléments suivants :

• La nappe doit correspondre au cadre. Une nappe en papier aluminium sera déplacée dans un cadre campagnard ou un ameublement rustique de maison de campagne.

• La nappe doit correspondre à l'occasion. On choisira plutôt, pour un repas officiel ou une occasion solennelle, une nappe blanche ou de teinte pastel en damas ou en batiste, et pour un repas simple entre amis, une toile de lin écru ou une nappe en coton dans des couleurs vives.

• Et enfin, la nappe doit être assortie, dans sa couleur et son style, à la vaisselle.

1 **La table est mise, le repas est servi :** de part et d'autre de l'assiette, se trouvent les couverts pour les hors-d'œuvre, la soupe et le plat principal, derrière l'assiette, les couverts à dessert.

2 **Une belle composition florale** se trouve au centre de la table, sans gêner la vue ni sentir trop fort.

3 **Les bougies** dispensent une lumière agréable et avantageuse. Les flammes ne doivent pas se trouver à hauteur des yeux pour ne pas éblouir.

Il est recommandé de mettre un molleton sous la nappe d'un repas de cérémonie, car il arrondit les angles de la table.

Il n'est rien de moins élégant qu'une nappe trop courte qui ne dépasse que de quelques centimètres des bords de la table. Le convive ne doit cependant pas non plus s'emmêler les pieds dans une nappe trop longue. Une nappe doit dépasser d'une longueur idéale de 35 à 40 cm des bords de la table.

La combinaison des nappes est variable. On peut imaginer une nappe blanche, recouverte d'un napperon blanc ou une nappe de couleur, recouverte d'un napperon de dentelle ou de broderie anglaise, combinaison particulièrement élégante.

Pour le choix de la nappe, toutes les étoffes et tous les matériaux sont imaginables : tulle, papier aluminium, raphia, coupes de tissu asiatique etc., dès l'instant où les règles ci-dessus nommées sont respectées.

Pour le déjeuner, les sets de table dans toutes sortes de matériaux, remplacent aujourd'hui de plus en plus la nappe. Le plastique ne devrait néanmoins être réservé qu'au barbecue.

La place de l'invité

Il n'est pas compliqué de dresser la table pour un menu complet. Quelques règles sont néanmoins à respecter :

• Une vieille règle de convenance dit que le convive doit toujours avoir une assiette devant lui. L'assiette, en effet, doit son nom au fait qu'elle marque la place où est assis le convive.

• L'ordre de placement des couverts suit une règle simple : le couvert du plat servi en premier se met à l'extérieur, et ainsi de suite de l'extérieur vers l'intérieur, par ordre croissant de plats servis. Seuls les couverts à dessert se placent au-dessus de l'assiette. La même règle vaut pour les verres. Le verre de la boisson servie en premier se place à l'extrémité droite de la file de verres.

• La distance entre assiette et couverts et le bord de la table est de 2 à 3 cm.

• Les convives doivent avoir assez de liberté de mouvements, ne pas être donc trop serrés. Il doit y avoir env. 70 cm du centre d'une assiette au centre de la suivante.

• Un service de table complet comprend une assiette plate et une assiette creuse, placées l'une sur l'autre. À leur gauche, une petite assiette à pain avec un couteau. La cuillère à soupe se trouve à droite de l'assiette creuse et à l'extérieur, puis viennent les couverts à hors-d'œuvre et les couverts pour le plat principal. La cuillère à dessert se trouve derrière l'assiette. Au-dessus de la cuillère à soupe à droite, se trouve un verre à eau. À gauche du verre à eau, en ligne oblique, se trouvent, tout en haut, un verre à vin blanc pour les hors-d'œuvre, puis un verre à vin rouge pour le plat principal. L'assiette à dessert n'est jamais mise d'avance sur la table.

• La serviette se place sur l'assiette ou à gauche près des fourchettes. Son pliage, simple ou recherché, (p. 152-155) est affaire de goût.

Les bougies et la composition florale

Elles servent à créer une ambiance chaleureuse et un décor propice à la scène qui va se jouer entre le menu et les convives. On n'utilise généralement pas de bougies au déjeuner. Au dîner, en revanche, plus on mettra de bougies, plus on renoncera à la lumière électrique, et plus l'atmosphère sera intime et créera un air de fête. Veillez à ce que les bougies ne vacillent pas dans les yeux des convives. Elles sont allumées peu avant leur arrivée.

Les fleurs sur la table égayent la pièce et pourvoient à la fraîcheur du décor. Des fleurs qui, sur la table, odorent trop ou cachent les convives, diminuent le plaisir des saveurs et gênent la communication. Il est préférable de placer les compositions florales sur un guéridon ou sur un buffet. Mais il n'y a pas que les vases, pour mettre des fleurs. Vous pouvez faire un arrangement de fleurs ou d'autres éléments, dans une coupe et la mettre sur la table. Imaginez des natures mortes de toutes sortes avec des fruits, des châtaignes, des coquillages, des plumes, des pierres. Une autre décoration consiste à mettre des bougies flottantes et quelques fleurs dans des coupes remplies d'eau.

UNE TABLE BIEN MISE

Mettre la dernière main à la table avec des serviettes joliment pliées.

◆

Le nom des convives

Dans un repas entre amis, chacun s'assoit où il veut. Si, en revanche, vous avez à organiser un repas officiel, il est recommandé de prévoir la place de chaque convive, afin de mettre ensemble des personnes qui ont, si possible, des conversations à échanger.

Des petites cartes pour inscrire le nom de chaque convive sont recommandées à partir de dix personnes. Pour des rencontres plus importantes composées de plusieurs tables, mieux vaut accrocher des listes à l'entrée, lesquelles guident les convives vers leur table.

Pour inscrire le nom des convives sur la table, on prendra un petit écriteau en carton, permettant d'écrire le nom à la main. Il peut, si vous le voulez, évoquer l'occasion célébrée, et représenter un cœur, une raquette de tennis, une canne de golf, un arbre etc., et être attaché à la serviette, par exemple à l'aide d'un trombone. Un portrait de profil du couple de jeunes mariés convient à une cérémonie de mariage, un écriteau en forme de maison, à une crémaillère. Pour une fête d'enfants, on peut écrire leur nom à l'encre de sucre sur des petits-fours secs. L'écriteau portant le nom du convive peut aussi être combiné avec un cadeau de l'hôte au convive, un stylo, par exemple, portant le nom du convive, une représentation du couple, si l'événement fêté sont des noces d'or, au stylo à encre délébile, ou une carte de téléphone portant le nom de l'entreprise.

Le menu

Les menus imprimés sont, naturellement, présentés aux convives d'une cérémonie importante, comme un mariage, mais il est également devenu d'usage de présenter une carte manuscrite dans des réunions plus intimes. C'est même un geste apprécié. La carte porte en couverture l'indication de l'événement fêté et la date, et à l'intérieur, à gauche, les boissons, à droite, la composition du repas. L'on peut aussi inscrire au dos la liste des invités, pour que chaque invité ait envie d'emporter son menu en souvenir. Il n'y a pas de limites à la fertilité d'imagination, hormis celles du bon goût. Et tous les goûts sont dans la nature, c'est bien connu. Du cadre rétro, comportant le menu, à la carte en forme de pomme pour une fête de la moisson ou au tee-shirt suspendu à une corde à linge pour un barbecue, toutes les idées de bon goût sont permises.

Si vous placez sur votre table, de petits écriteaux pour le nom du convive, et une carte pour la composition du menu, veillez à ce que leurs couleurs et leurs formes ne contrastent pas trop, pour ne pas compromettre l'harmonie d'ensemble.

Les invités d'un grand buffet seront également heureux de trouver un document énumérant tous les mets disponibles pour faciliter leur choix. Pour un buffet, le tableau noir et la craie, ou le miroir en lettres d'or, comportant le menu, feront l'affaire.

Les serviettes

Elles font, naturellement, partie d'une belle table. À vous de choisir si vous voulez la plier en triangle, en carré ou en rectangle, la placer sur l'assiette ou à côté, ou tenter un des pliages plus complexes que nous proposons p. 154/155.

Un pliage simple convient autant qu'un pliage plus complexe à toute cérémonie. Il faut simplement faire attention à l'harmonie des proportions. Si tous les regards convergent vers une composition florale dominante au centre de la pièce, on choisira plutôt un pliage simple.

N'oublions pas que le but de la serviette, quel que soit son pliage, est, et reste, un but profane : celui de s'essuyer la bouche et les mains. Jusqu'au XVIIe siècle, les convives s'essuyaient les mains et la bouche à la nappe. Pour un repas au cours duquel on se salit les mains, avec du homard ou des artichauts, la serviette ne suffit pas. Il est alors recommandé de préparer de petits récipients d'eau avec une rondelle de citron, qui dissout la graisse.

La mitre et l'épi de maïs

Vous serez peut-être tenté, si vous avez un peu d'exercice, d'essayer la mitre. Poser la serviette dépliée sur la table, une pointe en bas. Rabattre la pointe du bas vers le haut. On obtient un triangle.

Attraper les deux extrémités inférieures et les remonter jusqu'à la pointe supérieure en les ajustant dessus. On obtient un carré. Plier maintenant la pointe du bas vers le haut jusqu'à quelques centimètres en deçà de la ligne centrale, puis rabattre la pointe de ce triangle vers le bas, pour qu'il repose sur l'arête inférieure de l'étoffe.

Fixer derrière les extrémités de la serviette. Rabattre les deux extrémités de la pointe supérieure vers le bas.

L'on obtient la variante épi de maïs en rabattant également vers le bas la première pointe.

Le nœud

Ce sont très souvent les décorations les plus simples qui font le plus d'effet. Essayez une fois ce nœud, qui est plus joli avec de très grandes serviettes en tissu. Nouer simplement la serviette sans serrer et faites-la pendre décontractée sur le bord de la table.

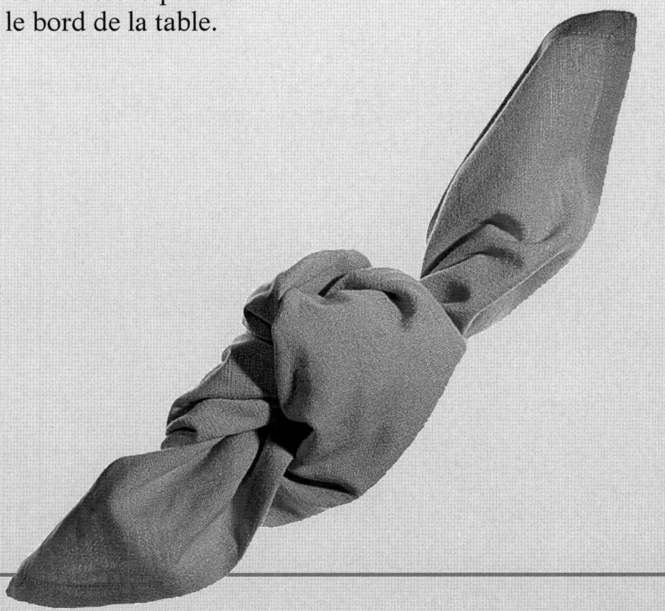

Ces pliages ne sont pas aussi difficiles qu'ils en ont l'air. Essayez-les, tout simplement.

◆

Les pliages artistiques exigent que l'on soit en possession des serviettes aux bonnes dimensions, à savoir 50 x 50 cm, et dans une étoffe en coton damassé assortie à la nappe. On peut, naturellement, aussi utiliser d'autres étoffes, métis, lin, coton ou synthétique. Quel que soit le tissu de la serviette, elle doit être bien amidonnée, mais pas trop, et bien repassée. Attention au repassage, que la serviette ne se déforme pas. Elle doit rester bien carrée.

Les pliages simples, comme la pointe ou le sachet, se font aussi bien avec des serviettes en ouate de cellulose suffisamment rigide.

Il est recommandé d'essayer d'abord les pliages avec un morceau de papier ou un mouchoir en tissu.

Il est important, pour que l'opération réussisse, de travailler minutieusement. Les bords doivent se superposer avec exactitude et les plis être soigneusement aplatis ou même repassés.

Le cornet

Étendre la serviette côté gauche en haut sur la table.

Rabattre la moitié supérieure de la serviette sur la moitié inférieure. La serviette est ainsi pliée le long de sa ligne centrale horizontale.

Coucher l'angle supérieur gauche de la serviette vers le centre en la tournant autour de la main pour que la moitié gauche de la serviette s'enroule en forme de cornet, avec une pointe en bass.

Rabattre maintenant l'autre moitié de la serviette sur le cornet, de sorte que les deux angles inférieurs se superposent et soient tournés en pointe vers le bas.

Retrousser les deux angles superposés vers le haut. Dresser le cornet.

Ce pliage réussit bien aussi avec des serviettes en papier.

La pointe

Étendre la serviette côté droit en haut sur la table.

Rabattre la moitié supérieure de la serviette sur la moitié inférieure. La serviette est ainsi pliée le long de sa ligne centrale horizontale.

Coucher l'angle supérieur gauche et l'angle supérieur droit vers le bas et le centre. On obtient un triangle isocèle. Attraper le triangle par la pointe et le redresser.

On peut aussi plier une double pointe : plier la serviette étendue au milieu vers le bas. Poser l'angle gauche inférieur de la strate supérieure sur l'angle droit inférieur. On obtient un triangle. Plier l'angle droit du triangle sur le gauche. Tirer maintenant l'angle droit inférieur de la strate supérieure sur l'angle gauche. Coucher le deuxième angle droit à gauche et bien appuyer sur les bords extérieurs. Redresser la double pointe.

La couronne

Étendre la serviette côté gauche en haut sur la table.

Rabattre la moitié inférieure de la serviette sur la moitié supérieure. La serviette est ainsi pliée le long de sa ligne centrale horizontale.

Coucher l'angle supérieur gauche de la serviette en bas vers le centre, puis plier l'angle droit inférieur vers le haut et le centre. On obtient un losange.

Retourner la serviette, de manière à avoir une surface lisse devant soi. Plier le losange vers le haut le long d'une ligne horizontale imaginée. On obtient, côte à côte, deux pointes triangulaires légèrement superposées, tournées vers le bas.

Rabattre le triangle droit vers l'avant sur le bord droit supérieur. Bien appuyer aux pliures. Fixer les angles l'un dans l'autre et dresser la couronne.

L'éventail

Étendre la serviette côté gauche en haut sur la table.

Rabattre la moitié supérieure de la serviette sur la moitié inférieure. La serviette est ainsi pliée le long de sa ligne centrale horizontale.

Tourner la serviette d'un quart de tour, de sorte que le côté étroit se trouve en bas. Plier la serviette de bas en haut en accordéon. Un tiers de la serviette demeure non plié. Les pliures en accordéon doivent être soigneusement travaillées et bien lissées.

Retourner la serviette d'un quart de tour. C'est maintenant la partie non pliée qui est à droite.

Replier la partie en accordéon. Plier la partie lisse en diagonale vers le bas. Coucher à l'arrière la partie qui dépasse. Dresser l'éventail. La partie lisse sert de support.

L'artichaut

Étendre la serviette côté gauche en haut sur la table.

Plier les quatre angles de la serviette pointe vers le centre. On obtient un carré plus petit. Plier encore une fois les quatre angles vers le centre et retourner la serviette.

Replier les angles obtenus vers le centre et tenir au milieu. Tirer avec précaution les pans situés sous les quatre angles à l'extérieur, tout en continuant à bien tenir au milieu. Les angles sont faciles à redresser. Pour réussir l'artichaut, il est important de bien maintenir les pliures à plat.

On peut modifier la forme de l'artichaut en sortant avec précaution des angles qui se trouvent maintenant entre les « feuilles » d'artichaut, du dessous de la serviette.

Ce pliage se prête à la présentation d'un petit pain.

L'AMBIANCE PAR LES COULEURS

L'atmosphère se crée par une habile orchestration des symphonies de couleurs.

◆

La combinaison des couleurs

Chacun de nous a une préférence plus ou moins consciente pour certaines couleurs, et s'entoure, généralement, de ces couleurs. Les couleurs suscitent des émotions. Elles stimulent ou apaisent, rendent gai ou triste. Les couleurs ont un rôle déterminant dans l'atmosphère d'une pièce. C'est pourquoi nous vous proposons dans les pages suivantes quelques suggestions pour obtenir l'effet souhaité sur votre table, grâce au choix d'une couleur dominante et de combinaisons possibles.

On distingue les teintes chaudes (rouge, orange, jaune) et les teintes froides (bleu, turquoise.) Choisissez, pour votre décoration, une couleur fondamentale, et assortissez-y les autres. Vous avez, pour la combinaison des couleurs, deux possibilités : les contrastes, qui sont rafraîchissants et

1 **Les tons chauds,** ici un jaune éblouissant associé à plusieurs tons de blanc crème et de brun créent, pour le buffet italien, une atmosphère ensoleillée et accueillante.

2 **Le jaune** fut combiné ici avec des couleurs claires et amènes, comme l'orange, le rose saumoné et le vert clair, pour créer une atmosphère sereine et printanière.

3 **Une composition inhabituelle :** des couleurs qui, habituellement, selon les lois classiques de l'harmonie des couleurs, ne se marient pas, ici, le jaune, l'orange et divers tons de rose, peuvent néanmoins faire beaucoup d'effet.

vivants, avec combinaison, par exemple, du rouge et du vert, du noir et du blanc, du bleu et du jaune, ou le jeu harmonieux de couleurs similaires, avec combinaison de tons de jaune et d'orange, de diverses nuances de bleu etc.

Dans les décorations de table ou de buffet froid, il ne faut pas perdre de vue que les couleurs et le caractère de l'événement doivent harmoniser avec le cadre. Ainsi, un buffet rustique dans des tons chauds de jaune et de brun, est déplacé dans un appartement aménagé de meubles modernes dont les couleurs dominantes sont le noir et le blanc.

Le vert

Le vert est vivant et gai. Une décoration de différents verts, ton sur ton, est rafraîchissante et accueillante. La couleur complémentaire du vert, le rouge, met le vert en valeur et représente un contraste vivant.

Le jaune

Une décoration de table en jaune est réalisable toute l'année, car on trouve, des jonquilles aux tournesols, des fleurs jaunes à presque toutes les saisons. Les tons de jaunes sont gais et accueillants, et se combinent, bien sûr, avec le bleu, leur couleur complémentaire, mais aussi avec des couleurs claires et vives comme le rose, l'orange ou le vert tilleul, de même qu'avec tous les dégradés de tons chauds d'ocre et de brun.

Le rouge

Le rouge resplendit de chaleur et de force. Il est voyant et domine toutes les autres couleurs. Le rouge s'adoucit dans des mariages avec des tons de rose. Il devient ardent et noble en combinaison avec le noir et reluit à côté du vert, sa couleur complémentaire.

Le bleu

Le bleu peut être discret et doux, classique s'il est combiné avec du blanc, et crée une atmosphère limpide. Combiné avec du rouge, il paraît frais et vivant, avec du vert et du turquoise, froid et noble, avec du jaune, gai et naturel.

Le blanc

Une table uniquement décorée de blanc crée une atmosphère froide, solennelle et sérieuse. Le blanc, comme couleur de fond neutre, peut servir de base à plusieurs couleurs. Combiné avec des tons de jaune, il crée un cadre clair et une atmosphère accueillante, avec des teintes pastel, une ambiance solennelle et noble, avec du noir, il paraît sobre, moderne et froid.

Le gris

Le gris est, comme le blanc, une couleur neutre et se marie tant avec des tons chauds, rouge et jaune, qu'avec des couleurs froides. Avec le chrome ou l'acier, il fait « cool ».

4 La combinaison du rouge, du bleu et du blanc crée une impression de fraîcheur et de clarté. Dans une fête d'enfants, elle transporte dans un univers maritime. Chaque couleur ajoute à la luminosité de l'autre.

5 **Blanc :** une décoration de table en blanc paraît très noble. Quelques notes colorées, comme ici la violette, donnent un peu plus de vie à l'ensemble.

6 **Les occasions officielles :** la nappe blanche en damas et l'argenterie sont relevées par des serviettes aux teintes pastel.

7 **Noir et blanc :** cette combinaison fait un effet moderne et froid qu'accentuent les lignes graphiques de la vaisselle.

INDEX DES PRINCIPAUX TERMES CITÉS

INDEX DES RECETTES

Nous remercions les firmes suivantes pour le prêt d'accessoires d'illustration :

The Conran Shop
Stilwerk
Große Elbstr. 66-68
22767 Hamburg

Rösle
Metallwarenfabrik
Johann-Georg-Fendt-Str. 38
87616 Marktoberdorf

Homestore
Speersort 2
20095 Hamburg

Kirchner Hamburg
Papenhuder Str. 35
22087 Hamburg

Concept Art
Kunsthandwerk aus Asien
Bismarckstr. 96
20253 Hamburg

K.-W. Stüdemann
„Das besondere Teegeschäft"
Schulterblatt 59
20357 Hamburg

WMF AG
Ottenser Hauptstr. 11
22765 Hamburg

Kreutzer GmbH
Stühle, Tische und Design
Eppendorfer Baum 16
20249 Hamburg

Alessi Deutschland GmbH
Stilwerk
Große Elbstr. 68
22767 Hamburg

Auteur: Heinz Imhof
Photographies : Photographie Brigitte Harms, Hambourg
Fabrication : Naumann & Göbel Verlagsgesellschaft mbH, Cologne
Traduction de l'allemand : Annick Yaiche